D0708260

openbaring

Peter Murphy

De openbaring

Vertaald door Elles Theulen

Uitgeverij Atlas
Amsterdam/Antwerpen

Deze uitgave kwam tot stand dankzij de financiële ondersteuning van Ireland Literature Exchange (vertaalfonds), Dublin, Ierland.
www.irelandliterature.com
info@irelandliterature.com

Oorspronkelijke titel: *John the Revelator*
Oorspronkelijke uitgave: Faber and Faber, Londen

Omslagontwerp: Roald Triebels
Omslagillustratie: Getty Images

ISBN 978 90 450 1051 9
D/2009/0108/548
NUR 302

www.uitgeverijatlas.nl

‘Ik, Johannes, was het die deze dingen hoorde en zag.’

Openbaring 22:8

1

Ik ben geboren tijdens een zware storm. Volgens mijn moeder onweerde het zo hard dat ze bij elke donderslag ineenkromp; urenlang stroboscopische bliksemschichten, pogoënde windstoten en striemende regen totdat het overwaaide en de bui afdroop als een uitgeput beest.

'Ik wist dat je een jongetje zou zijn,' zei ze. 'Brandend maagzuur. Onmiskenbaar teken van een man in je leven.'

Ik heet John Devine. Ik ben genoemd naar Johannes de Goddelijke, de geliefde apostel, de broer van Jacobus. Onze-Lieve-Heer noemde hen de zonen van de donder.

'Johannes was de lieveling van Jezus,' vertelde mijn moeder. 'De beschermheilige van drukkers, looiers en letterzetters.'

Als ze hier eenmaal over begon, kon ze uren doorgaan. We waren aan het wandelen door de velden achter ons huis. Ik liep nog steeds in korte broek. Mijn moeder had er flink de pas in, vastberaden voort te maken, en ik moest rennen om haar bij te houden.

'Hij was de enige die wakker bleef in de tuin toen Onze-Lieve-Heer bloed zweette,' zei ze. 'Na de kruisiging nam de keizer hem mee naar Rome om gegeseld en geslagen en in een ketel met kokende olie gegooid te worden. Ze probeerden hem te vergiftigen met wijn, maar het gif kwam bovendrijven in de vorm van een slang. Uiteindelijk werd hij verbannen naar Patmos, waar hij het boek Openbaring schreef.'

Ze pakte haar zakdoek en spuugde erop.

'De enige apostel die aan het martelaarschap ontsnapt is.'

Ze veegde mijn gezicht af. Het rook hetzelfde als wanneer je jezelf likt, een mengsel van speeksel, stof en huid. Ik probeerde mijn hoofd weg te trekken, maar ze liet niet los voordat ze vond dat ik schoon was.

'Hij stierf in het jaar 101. Men geloofde dat zijn graf één keer per jaar een geur verspreidde die zieken kon genezen. Vlak voordat hij overleed droegen de volgelingen van Johannes hem naar de bijeenkomst in de kerk van Efeze en vroegen hem hoe ze moesten leven. Weet je wat hij zei?'

Ze propte de zakdoek in haar mouw.

'Kind'ren, hebt elkander lief.'

'Meer niet?'

'Daar kun je anders mee vooruit.'

Volgens mijn moeder was ik nog een kleuter toen we van de caravan vlak bij Ballo-strand naar een huis een paar kilometer buiten Kilcody verhuisden. Haar vader en moeder hadden het haar nagelaten toen ze stierven. Het was er altijd zo koud dat je je adem in de lucht kon zien hangen. Ranken klimop kropen over de gepleisterde muren; onkruid verstikte de paar stengels rabarber. In de achtertuin waren een zandbak, kapot speelgoed en mosterdkleurige minaretten van hondenpoep, een oranje drooglijn vol druipend wasgoed.

Elke dag sleurde ik na school mijn schooltas mee naar huis alsof hij een jonger broertje was, liet mezelf binnen en knipte beneden alle lichten aan. Op de vensterbank in onze keuken stond een cactus, gezwollen groene vingers met scherpe witte stekels. Daarnaast stond Karel Kapsel, de clownskop waarin je zaadjes kon planten zodat het gras door de piepkleine gaatjes in zijn schedel groeide. Op de schoorsteenmantel gloeide een Heilig Hartlamp. De vloer was van nieuw blauw linoleum met zwarte patronen. Ooit was er een pijp onder de gootsteen gaan lekken en moesten we de oude vloerbedekking lostrekken en eronder krioelde het van de bolle geelgroene slakken en bruine schimmel die leek op misvormde bonsaiboompjes.

Mijn moeder was nog uit werken als ik thuiskwam. Ze maakte huizen schoon van andere mensen, en soms nam ze kleren mee die gewassen of gerepareerd moesten worden. Volgens haar kon je uit vuile was heel veel van iemand opmaken.

Ik boog me altijd aan de keukentafel over mijn huiswerk, in afwachting van het piepen van het hek, het blaffen van haar droge hoest. Als ze aan de late kant was, begon ik me bang te maken dat ze haar hadden opgepakt en dat ik naar een weeshuis zou worden gestuurd of bij haar vriendin mevrouw Nagle of een ander oud mens zou moeten gaan wonen. Maar ze kwam altijd thuis en schudde dan haar mantel af met de opmerking dat ze snakte naar een kop thee en een peuk.

Zodra het water opstond, stak ze de haard aan door aanmaakblokjes onder de briketten te plaatsen, waarbij blauwe en oranje vlammen aan haar vingers likten. Vervolgens hees ze de grote pan op het fornuis.

'Wat eten we vanavond?'

'Varkenspoten met behaarde karnemelk.'

Ze spreidde het tafellaken uit en zette het porselein op tafel. Op televisie waren Poolse tekenfilmpjes, gevolgd door het meierende gebeier van de angelusklok. Mijn moeder keek uit het raam en rookte terwijl ik at. Als het regende werden haar groene ogen grijs en haar gevlochten haar hing tot halverwege haar rug. Na de afwas ging ze bij het haardvuur zitten om een western te lezen. Vlagen wind huilden in de schoorsteen en het vuur spatte en knapperde.

'Goed boek?'

'Ach – '

Ze sloeg het dicht, schudde een Major's uit het pakje en brak de filter af.

'Te veel beschrijvingen. Ik weet heus wel hoe een boom eruitziet.'

De lange avonden verliepen moeizaam. We hadden niets anders te doen dan naar het vuur te staren of te luisteren naar het gieren van de wind onder de dakrand. Het geluid deed mijn moeder denken aan de avond waarop ik geboren was.

'Je was typisch een jongen,' fluisterde ze binnensmonds. 'Je kwam te vroeg.'

Ze schroefde de afgeknotte sigaret in een pijpje, stak hem aan, inhaleerde diep en blies een ketting van rookkringetjes uit.

'Rond de vierendertigste week.'

Ze leunde voorover en duwde op de blaasbalg, zwermen vuurvliegjes de schoorsteen injagend. Het vuur laaide op en knapperde. Ze liet me op haar schoot klimmen en haar lange vingers vlochten zich ineen over mijn buik.

'Er dreigde onweer. De lucht was er zwanger van.'

Haar stem was diep en hypnotiserend, haar adem warm tegen mijn kruin. Ik sloot mijn ogen en kon de rook van het kampvuur op het kampeerterrein bijna ruiken, zag kinderen rondrennen in hun onderbroek en honden plastic tassen met afval uit elkaar rijten. Luchtdruk als een migraineaanval, gevorkte bliksemschichten en rommelende donders.

Mijn moeder beschreef hoe ze, toen het onweer losbrak, alle spiegels bedekte, onder de dekens kroop en haar handen over haar uitpuilende buik spreidde, als om me te beschermen tegen de lichtflitsen en het lawaai. Angst kolkte door haar binnenste, daalde af en veranderde in het samentrekken van haar bekkenspieren. Ze hoopte vurig dat het vals alarm zou zijn, probeerde de pijnscheuten met wilskracht te beheersen, maar ze werden steeds heviger.

Haar water brak en haar broek werd drijfnat. Ze greep de tas die ze gepakt had en ging de woeste nacht in en klopte op de ramen van caravans. Niemand deed open. Ze werd overspoeld door grote zwarte golven van angst. Paniek sloeg haar om het hart. Maar juist toen ze de hoop op hulp wilde opgeven, kwam er een man aan, wankelend op zijn benen en stinkend naar bier en zweet, maar evengoed een man, en hij zei dat hij haar wel een lift wilde geven.

Hij had zo'n stuk in zijn kraag dat zijn Fiatje drie rondjes maakte voordat het hem lukte van de rotonde af te komen. De regen plensde met dikke druppels tegen de voorruit en water hulde de weg in een glinsterende olielaag. Mijn moeder kneep haar ogen dicht en probeerde niet over te geven of flauw te vallen terwijl in haar onderbuik de ene pijngolf werd opgevolgd door de andere.

Ze waren maar net op tijd. Een verpleegster hielp mijn moeder op een brancard, rolde haar de lift in en bracht haar naar boven, naar de afdeling verloskunde, geen tijd voor een ruggenprik of iets dergelijks, alleen lachgas en zuurstof, mijn moeder kleefde aan het apparaat als een zoogkalf, haar haar vastgeplakt aan haar voorhoofd, en ze grijnsde naar de vroedvrouw.

'Heb je niet toevallig een flesje Powers in die trukendoos van je?' brabbelde ze.

'Mond dicht en blijven persen,' zei de vroedvrouw.

Inademen en persen en kreunen, gas en zuurstof en nog meer inademen en persen en kreunen, en toen gleed ik eruit. De vroedvrouw pakte me op en de verloskundige knipte de navelstreng door.

Mijn moeder tilde haar bezwete hoofd op en vroeg, 'Een jongetje?'

'Ja,' zei de vroedvrouw terwijl ze me in een badstof handdoek wikkelde.

'Iets extra's erbij? Hazenlip? Zwemvliezen?'

'Ssst,' zei de vroedvrouw.

De verloskundige onderzocht me en verklaarde me zo gezond als een veulen.

‘Hij kon in elk geval trappen als een veulen,’ zei mijn moeder en ze zakte weer terug in de kussens.

De herstelafdeling zat vol vrouwen in nachtjapon en met sloffen, hun gezichten rood van moeheid. De kamers waren warm en benauwd en mijn moeder kon niet slapen. Zodra ze kon lopen belde ze een taxi en bracht ons terug naar onze caravan. Ze bekleedde de bovenste la van een oude teakhouten ladenkast met dekens om als wiegje te dienen en legde me erin. En toen begon de narigheid.

‘Je was werkelijk een verschrikking,’ zei ze, terwijl ze haar peuk platdrukte in de schelp naast haar voeten. ‘Als ik je de borst gaf, begon ik te bloeden. Vervolgens raakte je helemaal verkrampt van de koliek en liet me geen oog meer dichtdoen. Ik had je nog niet gevoed, of je moest al een schone luier. Daarna spuugde je alles uit en had je weer honger, dus voedde ik je nog een keer en zodra ik je te slapen had gelegd, poepte je weer in je luier, dus moest ik je weer oppakken en was je opnieuw klaarwakker en hongerig. Je was een voortdurende kwelling, m’n jongen.’

Wekenlang kreeg ze niet de kans haar thee op te drinken of een fatsoenlijke maaltijd te eten. Ze sprak nauwelijks en als ze wel iets zei was het door een waas van vermoeidheid, met een satellietvertraging van twee seconden. Ze kreeg akelige gedachten. Angst om dit kleine ding waarvoor zij verantwoordelijk was, allerlei boosaardige schaduwen grauwden en klauwden aan de deur. Er waren nachten waarin ze in zo’n morbide stemming was dat ze met de gedachte speelde om een kussen over mijn hoofd te leggen om er zo snel mogelijk een eind aan te maken.

‘Wat hield je tegen?’

‘Je was nog niet gedoopt.’

Nachtenlang jankte ik de ogen uit mijn bietrode kop, en mijn moeder ijsbeerde door de kamer en klopte op mijn ruggetje in het ritme van de liedjes op de lokale radiozender, zij liep, ik brulde. Een keer begon om een uur of drie, vier 's nachts het nieuws. De nieuwslezer zei dat het Meteorologisch Instituut een stormwaarschuwing had uitgevaardigd: stormachtige wind, mogelijk overstromingen. Men werd geadviseerd thuis te blijven behalve in geval van nood.

Ik blèrde gewoon door, en mijn moeder wiegde me heen en weer op haar schouder en ademde mijn pasgeboren geur in. Ze drukte me tegen haar borst en mompelde in mijn roze hartschelpvormige oortje: 'Het is een kwade wind, m'n jongen.'

En enkel om mijn gekrijs te overstemmen, begon ze te zingen, het eerste wat in haar opkwam. Zodra ik dat geluid hoorde, was ik stil. Het lied stierf weg in haar mond en verbaasd staarde ze naar me terwijl mijn oogleden dichtvielen en mijn lichaam verslapte. Ze legde me in mijn kribbe, controleerde mijn adem met haar poederdoosspiegeltje.

'Eindelijk,' zuchtte ze en kroop in bed.

Het was echt heel raar, zei mijn moeder, maar vanaf die tijd sliep ik vredig, tien uur per nacht. Maar alleen als zij zong.

En ik geloofde haar, want voor een zoon is wat zijn moeder zegt zo heilig als Gods woord.

Zondags deden we onze beste kleren aan en liepen de drie kilometer naar het dorp om naar de mis te gaan, een gesteven kraag mijn nek raspend, mijn moeders parfum sterker dan alle wierook. Pastoor Quinn dreunde de eerste brief van Paulus aan de Korintiërs op als een slaperige kantonrechter en ik vond het stomvervelend te moeten luisteren naar allerlei onsamenhangende gezangen, de eucharistieviering, het geprevel van mensen die ter communie gingen. Ouderen namen de hostie op hun tong, jongeren in de palm van hun hand.

'Lichaam van Christus.'

'Amen.'

Nog meer kerkgezang. Hier en daar wat gesnurk. De zegening.

'De mis is ten einde. Gaat heen in vrede.'

Mijn moeder zuchtte.

'God zij dank.'

Elke zondagavond na badtijd boog ik me voorover en raakte mijn tenen aan terwijl mijn moeder met een zaklantaarn mijn gat bekeek. Ik werd duizelig van de bloedaandrang in mijn hoofd.

'Wat zoek je?' vroeg ik.

Ze zat op de vloer, een brandende peuk naast haar in de schelpasbak. Ik was ongeveer zó groot.

'Wormen.'

'Hoe kruipen wormen mijn gat in?'

'Ze kruipen er niet in.' Haar stem klonk vaag, afgeleid. 'Ze komen binnen door je mond.'

Ze schraapte haar keel.

'*Vermijd varkens en kruipende wezens en aaseters en vissen zonder vinnen en schubben. Ze zijn onrein en dragen verfoeilijkheden in hun vlees.* Leviticus, zoveel-zoveel.'

Ze knipte de zaklantaarn uit en tikte ermee op mijn billen, ten teken dat ik mijn pyjamabroek kon optrekken.

'Gaan mensen dood aan wormen?'

'Dat komt wel eens voor.'

Ze streek met haar vingernagel over de tanden van een fijne kam. Het klonk als Chinese muziek.

'Maar zoals Onze-Lieve-Heer zegt: niet wat de mond in gaat, maakt de mens onrein.'

Ze begon mijn haar grondig te doorzoeken op luizen.

'Maar wat eruit komt.'

Ik bestookte mijn moeder met zoveel vragen over wormen dat ze het onderwerp verbood. Maar op een dag kwam ze thuis met een boek – *Harpers Compendium van Bizarre Feiten uit de Natuur* – waarin alles stond over hagedissen, inktvissen en vogelbekdieren, en een heel hoofdstuk gewijd was aan wormen, met als titel 'Het Geheime Leven van Parasieten'. Mijn hoofdhuid kriebelde bij het zien van de illustraties, net als toen ik ringworm op mijn hoofd had. De medische term daarvoor is dermatofytose. Je kunt het krijgen op je romp, in je kruis, aan je voeten, je nagels, zelfs onder je baard. De soort die ik had heette *Tinea capitis*.

Mijn moeder begon het avondeten klaar te maken en vroeg me hardop voor te lezen uit het boek, zei dat de lange woorden een goede oefening waren voor school. Ik bladerde meteen door naar het stuk waarin werd uitgelegd dat een parasiet een organisme is dat leeft op of in een ander organisme, de zogenaamde gastheer. Sommige parasieten kunnen tientallen meters lang worden. Andere zijn zo klein dat je ze alleen onder een microscoop kunt zien. Sommige parasieten leggen eieren; andere vermenigvuldigen zich als bacteriën.

Gebogen over de gootsteen wikkelde mijn moeder het vetvrije papier van een schoongemaakte vis. Ik las verder.

Volgens het boek moest vroeger in Azië en Afrika iemand met een guineaworm om te genezen een dag, twee dagen, een week, zo lang als het duurde, gaan liggen en de worm langzaam rond een stok wikkelen om hem er levend uit te krijgen. Als je er te hard aan trok, brak hij in tweeën en ging hij dood, waardoor je darmen ontstoken raakten. Daar komt het symbool voor geneeskunde vandaan, twee slangen gewikkeld rond een staf, de esculaap. In de Bijbel werden de Israëlieten geplaagd door slangen, maar is wel gedacht dat dat een poëtische manier was om te zeggen dat ze wormen hadden. In de tijd van koning Edward werden zieken en teringlijders naast bakken met vlees gevoede maden in een kamer gelegd, omdat men geloofde dat de geur van ammoniak en methaan een heilzame werking had. Zo'n kamer werd een *Maggotorium* genoemd.

'Dat is de geur die uit het graf van Johannes kwam en mensen genas,' zei ik.

Al piepers jassend bromde mijn moeder iets onverstaanbaars. Ik las verder.

Volgens Harper probeerde een negentiende-eeuwse dokter genaamd Friedrick Kuchenmeister de evolutie van een blaasworm in een lintworm aan te tonen door een veroordeelde moordenaar vier maanden vóór zijn executie besmette bloedworsten te voeren. Nadat de veroordeelde gedood was, sneden ze hem open en troffen in zijn buik anderhalve meter lange lintwormen aan.

Met samengeknepen ogen verwijderde mijn moeder een slak uit het hart van een kool en gooide hem in de pedaalemmer. Ze plukte de sigaret uit haar mond en keek ernaar.

'Weet je,' zei ze, haar ogen knipperend van de rook, 'ze zeggen: als je ergens niet aan doodgaat, dan word je er juist sterker van. Dat moet je niet geloven. Al je er niet dood aan gaat, word je er ziek van. En als je ziek wordt – '

Ze stak haar sigaret onder de kraan. Hij siste uit.

'– ga je dood.'

Op een dag kwam brigadier Canavan naar het Presentatieconvent op school om ons te vertellen wat er met stoute kinderen gebeurt als ze doodgaan. Hij was een boom van een vent, van top tot teen gekleed in marineblauw, een stem zo diep dat je hem meer voelde dan hoorde.

'Weten jullie waar stoute jongens en meisjes naartoe gaan, jongens en meisjes?' vroeg hij.

Niemand gaf antwoord behalve Danny Doran, die zijn hand opstak en zei: 'Engeland?'

Brigadier Canavan schudde zijn hoofd.

'Nee, maar je zit er niet ver naast. Ze worden opgepakt en in de achterbak van een politiewagen gegooid, die ze naar de hel brengt, waar de duivel ze aan zijn roostervork prikt en boven de hete kolen ronddraait en levend opeet, en wat er bij hem aan de achterkant uit komt wordt door de wc gespoeld en belandt in een meer van eeuwig vuur. De enige manier om te voorkomen dat dit gebeurt is door elke zaterdag te biechten. Dat betekent dat je tegen God zegt dat je spijt hebt als je iets stouts hebt gedaan.'

'God bewaar ons allen.'

De zegening van mevrouw Nagle op de drempel was voor mijn moeder het teken om me naar boven te jagen zodat ik geen spaak in hun grotemensengesprek kon steken met mijn praatjes. Terwijl zij theedronken in de keuken ging ik op mijn buik op de overloop liggen om hun geroddel af te luisteren. Ze hadden koekjes; ik kon ze horen.

Mijn moeder zuchtte diep.

'Wat moet ik toch met die jongen, Phyllis?'

Omdat we bezoek hadden, gebruikte ze haar telefoonstem en sprak ze alles heel duidelijk uit. Ik kroop de trap helemaal af en gluurde door de deuropening.

'Hij is zo in zichzelf gekeerd. Ik ben bang dat hij later ziekelijk wordt.'

Mevrouw Nagle maakte meevoelende keelgeluiden. Ze was een groot manwijf met een luide ruwe stem. Noemde zichzelf altijd mevrouw, hoewel ze nooit getrouwd was geweest. Ze woonde in een tochtig stenen huisje ongeveer een halve kilometer verderop, pal naast de waterput, waarvan het eigenaarschap ter discussie stond. Mevrouw Nagle stelde VERBODEN TOEGANG – PRIVÉTERREIN dat hij op haar grondgebied stond en zette een bord met aan het begin van het smalle pad dat naar de pomp liep. Dat viel niet goed bij de omwonenden, vooral niet bij Harry Farrell.

In die tijd was Harry een onbeschoft manusje-van-alles, die men dag en nacht op zijn Honda 50 over de plattelandsweggetjes rond zag rijden. Hij had een oogje op mijn moeder en bood altijd aan om klusjes in huis voor haar te doen. Hij stuurde me elke verjaardag steevast een tientje in een envelop. Toen ik groter werd, werd het een briefje van twintig. Van mijn moeder moest ik het overgrote deel ervan op mijn postrekening zetten. Ze zei dat hij net de peetoom was die ik nooit gehad heb.

Harry was een harde werker als hij nuchter was. Mijn moeder vroeg hem soms om hout te hakken, de heg te knippen of de overhangende takken te snoeien. Maar als hij aan het drinken sloeg, verpandde hij zijn bromfiets, gereedschap en kettingzaag en bleef hij dag en nacht in de pub tot zijn geld op was, waarna hij een week sliep, zichzelf op orde bracht en weer van voren af aan begon met het zoeken naar werk.

Harry – oftewel Bolle Har, zoals hij bekend kwam te staan toen zijn gewicht explodeerde nadat hij de drank ten slotte voorgoed had opgegeven – was razend toen hij het handgeschilderde bord met VERBODEN TOEGANG zag. In Donahue's kon je hem horen roepen dat de put al openbaar bezit was toen God nog een klein jochie was en dat die oude tang er geen recht op had. En als hij echt een stuk in zijn kraag had, schepte hij op dat hij, vanaf de dag dat het bord daar stond, de put nooit voorbijging zonder van de gelegenheid gebruik te maken zijn blaas te legen en de kristallen wateren te vervuilen met zijn eigen gelige zijstroompje. Toen mevrouw Nagle deze openlijke belediging ter ore kwam, ontstak ze, volgens mijn moeder, in woede, vorderde de hurlingstick van een jongen die van school onderweg was naar huis, liep op hoge poten het dorp in en kamde alle pubs uit tot ze Har gevonden had, waarna ze hem van het ene eind van de straat naar het andere sloeg, en hard ook. Sinds die dag koesterde Har een ongetemde wrok in zijn hart.

'Hoe oud is het ventje?' schetterde mevrouw Nagle, terwijl ze haar gebreide wollen muts rechtzette, zo'n muts die leek op het hoedje van een eikel, maar dan ondersteboven.

'Zeven,' antwoordde mijn moeder. 'Nee, acht.'

'De leeftijd van het logisch denken.' Mevrouw Nagle doopte een biscuitje in haar thee en beet erin. Een mariakaakje misschien.

'Stuur hem de frisse lucht in,' zei ze, met een bolle wang vol koekjesbrij. 'Zonlicht is het tovermiddel van de natuur. Het geneest de Engelse ziekte, krop, huidziektes, maagzweren en sommige kankersoorten. Hij wordt een zwakkeling als hij altijd binnen blijft. Zwakzinnig.'

Het uitspreken van zoveel zetten sproeide doorweekte kruimels uit over het goede tafelkleed.

'Hij moet *flink* worden.'

'Flink,' herhaalde mijn moeder, terwijl ze de filter van een Major's scheurde.

Mevrouw Nagle knikte.

'Mm-hm. De jongemannen van tegenwoordig zijn heel anders dan toen wij jong waren, Lily. Complete sukkels in vergelijking.'

Het schuren van een lucifer.

'Daar heb je geen ongelijk in, Phyllis.'

Mijn moeder sprak met haar toegeeflijke stem, als op momenten dat ik haar de oren van het hoofd kletste maar ze er niet echt met haar aandacht bij was.

'Weet je waar het volgens mij aan ligt, Lily?'

'Wat dan, Phyllis.'

'Porterbier. Drank is de bewezen oorzaak van waterzucht, geelzucht, jicht, koliek, chagrijn, slijmvliesontsteking in de mond en de maag. Jongemannen gaan eraan onderdoor. De reden waarom ze nooit willen werken, godvervloekte vlegels'

En mijn moeder zei: '*Hoe weerzinwekkend en verachtelijk is de man die zondigheid drinkt als water.*'

Maar mevrouw Nagle moest altijd het laatste woord hebben.

'De duivel heeft genoeg te doen voor nietsnutten.'

Dus na die dag werd ik vroeg uit bed gehaald om te helpen met bloemperkjes wieden en bramen plukken en allerlei buitendingen. Op dat uur was het zo koud dat de lucht smaakte alsof die in pepermunt gedrenkt was. Bramensap prikte in de doornsneetjes en brandnetelstriemen op mijn handen. En omdat de hemel die nacht had gerommeld als een grote maag had mijn moeder haar zinnen op paddenstoelen gezet.

'Voor het plukken van paddenstoelen heb je drie dingen nodig,' zei ze. 'Donder, regen en koeienmest.'

We gingen op weg naar de verst gelegen veenpoel. Mijn moeder liep met meterslange passen door het natte gras en hield een mandje tegen haar borst gedrukt. Ik haastte me achter haar aan, mijn haar glibberig van de ochtendnevel. We zompten door moerassig land, om een roerloze vijver heen manoeuvrerend, die bedekt was met een laagje groen schuim en waar muggen en horzels boven cirkelden. Mijn moeder wees verschillende soorten aan van mossen en schimmels, stuifzwammen en giftige paddenstoelen, korst- en levermossen, riet en bies en lisdodde, wier en blaaswier. Ze greep het bovenste dwarshout van een hek met vijf latten, maakte aanstalten om eroverheen te klimmen, maar net voor ze zich optrok bleef ze staan en spitste haar oren.

'Sst.'

We bleven stokstijf staan en luisterden.

'Ik hoor niks,' fluisterde ik.

'Ssssst.'

Een of ander gemiauw. Ze zette haar mandje neer.

'Misschien een jong poesje.'

Haar blik zocht de grasbulten af. Weer dat geluid, zacht en gekwetst en meelijwekkend.

Ze tuurde naar de plek waar het gekwelde geluid vandaan

kwam en wees op een doornstruik. Daar lag een haas, languit, met opgezwollen en etterende ogen als weke wonden.

'Is hij ziek?' vroeg ik.

'Myxomatose.'

Ze pakte haar peuken, hield een lucifer in de kom van haar hand, zoog de rook naar binnen en dacht diep na over de haas. Aan zijn achterlijf kleefde een dikke korst van opgedroogde keutels.

'We moeten hem uit zijn lijden verlossen,' zei ze. 'Zijn nek breken.'

Haar hand rustte op mijn schouder.

'Misschien moet jij het maar doen, jongen. Ik heb daar de moed niet voor.'

Ik zette een stap achteruit en schudde mijn hoofd.

'Dat kan ik niet.'

'Je moet. Het is niet eerlijk om hem te laten lijden.'

Mijn handen waren nat van het zweet. Ik veegde ze af aan mijn broek.

'Ik dacht dat doden een zonde was?'

'Niet als het een daad van barmhartigheid is.'

Ik wilde niet eens bij de zieke haas in de buurt komen, maar ik moest mijn moeder gehoorzamen.

'Oké,' zei ik.

Ze kneep in mijn schouder.

'Da's pas een vent. Doe het snel.'

Ik knielde naast de haas en staarde in de bloedende diepten van zijn ogen. Ik greep hem bij zijn nekvel en trok hem omhoog. Hij stribbelde zwakjes tegen terwijl mijn beide handen zijn hals dichtknepen.

'Nee, zo niet.' Mijn moeder rolde met haar ogen. 'Ik zei zijn nek breken, niet wurgen.'

Ze bootste het door midden breken van een stuk aanmaakhout na.

Ik verschoof mijn handen en kneep mijn ogen dicht. Ik

duwde mijn knie tegen de nek van de haas en trok zijn kop en zijn lijf tegelijkertijd naar me toe. Het klonk als een knakkende vinger. De haas begon te stuiptrekken. Ik gooide hem op het gras en keek naar de krampachtige bewegingen van zijn lichaam tot het eindelijk slap werd. Mijn moeder wrikte de teen van haar laars onder zijn buik, tilde haar been op en wipte het hazenlijk met een boogje de sloot in.

'Kom op,' zei ze. 'Die paddenstoelen komen niet vanzelf in ons mandje.'

De grote oude kraai drong mijn dromen binnen. Ik wist niet waar hij vandaan was gekomen of wat hij moest betekenen.

Hij spiraalt uit een gat in de buik van de hemel, waar de vertoornde goden hem uit werpen, om als een helikopter in de lucht te blijven rondzweven, doodmoe, hongerig en speurend naar aas.

Zie hoe diep hij gevallen is. Ooit hoefde hij maar met zijn vleugels te klappen en het waaide en donderde. Hunnen en heidenen waren bang voor hem. Hij was de gezant die de zon de zee in en de onderwereld door hielp, en hij leende zijn gedaante aan Morrigan, godin van de oorlog, het noodlot, de dood, die zijn mantel droeg als ze over de slagvelden scheerde om haar krijgers aan te sporen tot woeste daadkracht en razernij.

Wat is er gebeurd, Oude Kraai?

Misschien klopt het wat Saint Golowin zei: dat je lang geleden een mooi pak bontgekleurde veren had, maar je nadat Adam en Eva uit Eden verdreven waren het vlees van kadavers ging eten waardoor je veren zwart werden.

Komt het daardoor?

Maar de oude zwarte kraai geeft geen antwoord, kijkt me slechts strak aan met zijn onheilspellende gele ogen, slaat zijn vleugels tegen de wanden van mijn droom tot de wanden in-

storten, en hij flappert en krijst, met volledig uitgestrekte vleugels, en plotseling is hij verdwenen.

II

Weer een jaar voorbij op aarde.

De winter smolt in de motregen en maakte plaats voor de eerste mooie lentedag. Mijn moeder trok haar werklaarzen aan, haar mouwen opgerold, handen in rubber handschoenen gestoken.

'Ik ga die tuin eens goed mores leren,' zei ze en strekte haar vingers.

Met een kapmes ging ze de wildgroei te lijf, onthoofde mieren, hakte stengels door waaruit wit wondvocht sijpelde, goed tegen wratten. Ze hurkte, haar rok opgetrokken, liet zich achteroverzakken op haar billen en rukte het onkruid uit. Ze zette haar voet stevig op de rand van een schop en spitte de borders om, doorzocht de mergel op regenwormen en slakken, slingerde hun lichaampjes op wriemelende, kriebelende hoopjes. En toen de tuin van alle onkruid ontdaan was, de aarde gekastijd en getuchtigd onder haar laarzen, plantte ze een bemodderde hand in haar zij, stak een peuk op en bewonderde haar noeste arbeid.

De volgende ochtend kwam ze terug van Purcell's Kwekerij met een krat struikjes en stekjes en plantte ze in de grond, haar handen nauwkeurig als kunstenaarshanden.

'En nu,' zei ze.

'Nu wat?'

'Wachten we af.'

De lente kwam tot bloei, de wereld barstte in wilde bloemen uiteen en onze tuin liep rood aan, alsof hij razend was. Mijn moeder gaf hem vorm en verzorgde hem en ging na haar werk buiten zitten terwijl de aarde de dampen uitademde die de zon de hele dag in haar poriën had gestoomd. Ze plukte vier bloembaadjes van de rozenstruik en legde ze in de vorm van een kruis op de palm van haar hand.

'Kijk,' zei ze. 'Het rozenkruis.'

Mijn moeder tussen de bloemen.

Op een gure ochtend, kouder dan normaal, keken we naar buiten en zagen de bloemen verschrompeld door een late nachtvorst, de tere resten geconserveerd in begrafeniswit. Mijn moeder trok een jas aan over haar nachtjapon en liep door de doodse bloembladeren, de vrolijke slingers van haar tuin veranderd in verschrompelde rouwkransen. Even vertrok haar gezicht van teleurstelling, maar met een ruk van haar hoofd zette ze het gevoel van zich af.

'Zo gaat dat,' zei ze en tastte haar zakken af voor haar pakje met peuken. 'Het een sterft zodat het ander geboren kan worden.'

Een vonk van het vuursteentje.

'Morgenvroeg gaan we nieuwe struiken planten.'

Op een dag vlak na mijn tiende verjaardag stond Har Farrell aan de achterdeur.

'Is je moeder thuis?'

Hij had een oliejas aan over een flodderbroek, die hij in zijn groene rubberlaarzen had gestopt, een grote gespierde man met een dom hoofd, die rook naar zweet en gist of hop.

'Ze is nog werken,' zei ik.

Hij knikte in de richting van de achtertuin.

'Kom even mee.'

Buiten had hij een gevaarlijk uitziend ding op het hakblok neergezet. Een koker vol met pijlen rechtop ertegenaan.

'Weet je wat dat is?'

Zijn adem rook naar de pub, een volwassen geur die een wereld van ongeschoren mannen en dartstoernooien en nachtelijke jachtpartijen opriep.

'Het is een pijl en boog,' zei ik.

Een glimlach plooide zijn grof bestoppelde wangen.

'Bijna. Wat je daar ziet is een honderdvijfenzestig pond kruisboog.'

Hij nam het wapen in zijn handen en liet zijn dikke vingers liefdevol over de verschillende mechanismen glijden.

'Dit is de trekker,' zei hij. 'Dit is het katrolsysteem. En dít – dit is het neusje van de zalm, John – een verstelbaar telescoopvizier. In theorie kun je er tot een meter of honderd redelijk precies mee schieten, afhankelijk van wie schiet, natuurlijk. De pijlen zijn van aluminium. De koker moet je geregeld invetten, dan blijft hij oneindig lang goed. Van harte gefeliciteerd, jongen.'

Hij drukte de kruisboog in mijn handen. Het voelde als een heel belangrijk moment. Alsof hij me een of ander heilig voorwerp overhandigde tijdens de overgangsrite van een stam.

'Krijg ik dit van je?'

Hij knikte en straalde.

'Hoe werkt het?'

Hij nam de kruisboog over, zette de kolf tegen zijn schouder, trok de pees met beide handen over de lade naar achteren en spande hem gelijkmatig achter de noot. Vervolgens trok hij een pijl uit de koker en plaatste hem in de zuil.

'Zo dus,' zei hij, een beetje wankel op zijn benen. 'Kies een doel.'

Ik zocht de tuin af en wees op een boom die achter uit de greppel stak.

Har drukte de kruisboog weer terug in mijn handen. Hij

ging achter mijn schouder staan en hielp me met aanleggen.

'Het midden van de pees moet op één lijn liggen met de gleuf,' zei hij, 'anders schiet je scheef. Denk eraan, de pijl gehoorzaamt de pees, niet de boog.'

Hij bracht mijn armen in positie alsof hij Geppetto was.

'De beste schiethouding,' zei hij, 'is als je je elleboog tegen je heup aan zet, met je linkerhand ondersteun je de boog hier bij de trekker. Je moet een stukje achteroverleunen om het punt van optimale balans, zoals ze dat noemen, te bereiken. Veiligheidspal eraf. En stevig vasthouden.'

Hij klopte op mijn rechterborstspier.

'De terugslag van dat ding kan zo je sleutelbeen breken als je niet oppast. Klaar?'

'Ik denk van wel.'

'Schiet.'

Ik haalde de trekker over. De terugstoot bracht me uit balans. De pijl vloog uit de gleuf met een hard pokgeluid, sneed door een van mijn moeders onderbroeken heen die aan de waslijn hingen en vloog de wei erachter in.

'Fuck,' zei Har. 'Sorry. Geeft niks, je hebt het gauw genoeg te pakken.' Hij gaf me een klap op mijn rug. 'Maar je moet hem nooit op iemand richten.'

Meteen toen hij weg was, wikkelde ik de kruisboog en pijlkoker in een kolenzak en verstopte hem in het hokje onder de trap.

Er zaten een rups en een wesp in de jampot. De wesp ramde haar angel, wat Harper *ovipositor* noemde, in de rups, waarmee ze eitjes injecteerde via de gaatjes in zijn huidskelet. De rups raakte verlamd. Toen de wesp klaar was schroefde ik het deksel eraf en liet haar wegvliegen. Ze zwirrelde tegen mijn moeder aan, die net terugkwam uit de kliniek. Ze wapperde de wesp weg en liep wankelend verder over het voorpad, maakte voorzichtige stappen alsof ze een stroompje met stenen overstak. Ze had een angstaanjagende uitdrukking op haar gezicht. Ik had haar nog nooit zo overstuur gezien. Ik vroeg haar wat we vanavond zouden eten, niet omdat ik dat wilde weten, maar omdat ik wilde dat ze weer haar normale zelf werd. Ze schudde haar hoofd en liep om me heen de keuken in, bewoog zich voort alsof ze in trance was. De waterkoker werd aangezet, daarna de radio. Ik schudde het potje om te kijken of er nog leven in de rups zat. Geen reactie.

Mijn moeder stak de haard aan en maakte het eten klaar en riep me binnen toen het op tafel stond. Ik rende naar boven en verstopte het potje in mijn slaapkamer en ging mijn handen wassen.

Mijn moeder nipte aan haar kopje thee en keek uit het raam terwijl ik at. Ze liet haar eigen bord grotendeels onaangeroerd staan. Het haardvuur knapperde en het Heilig Hart gloeide op de schoorsteenmantel.

'Jongen,' zei ze, 'we moeten ergens over praten.'

Ik propte eten naar binnen. Heet. Ik wapperde met mijn hand voor mijn mond.

'Uh-huh?'

'Ik moet binnenkort een poosje weg.'

'Waarheen?'

'Naar het ziekenhuis.'

Mijn vork zakte naar beneden. Buiten begon het donker te worden en de wind jammerde in de schoorsteen. De winter kwam eraan.

'Waarvoor?'

'Ik moet een poosje rusten. Niet lang, hoor. Maar een weekje of zo.'

'Een wéék?'

Een vreselijk leeg gevoel verspreidde zich in mijn maag. Op de vensterbank stond Karel Kapsel als een idioot te grijnzen naast de geraniums, bizarre plukken groen haar schoten omhoog uit zijn geperforeerde schedel.

'Waarom ga je niet gewoon boven op bed liggen?' vroeg ik. 'Waarom moet je naar het ziekenhuis?'

Ze schudde haar hoofd, zette haar kopje neer.

'Luister. Ik heb geregeld dat mevrouw Nagle voor je komt zorgen. Ik wil dat je je goed gedraagt als ik weg ben. Het is maar voor kort. Zodra ik thuiskom is alles weer gewoon als vroeger. *An dtigeann tú?*'

'*Tigim.*'

Mijn moeder nam een taxi naar het ziekenhuis. Ik ging zoals gewoonlijk naar school en mevrouw Nagle kwam later op de dag naar ons huis om het eten klaar te maken. Het eten was hetzelfde, maar het smaakte anders, enigszins aangebrand. Bovendien liet ze de deur open als ze op de wc zat, en ik kon haar oude vrouwenpanty als een modderpoel om haar aderige enkels en zware bruine gaatjesschoenen zien hangen. Diezelfde gaatjesschoenen hoorde ik buiten knarsen als ikzelf op de wc zat.

Mevrouw Nagle stuurde me 's avonds meestal vroeg naar bed zodat ze tv kon kijken en zich vol kon proppen met bonbons. Ik lag wakker en staarde naar het plafond en vroeg me af wat ze met mijn moeder aan het doen waren in het ziekenhuis. Af en toe controleerde ik het jampotje en speurde naar tekenen van wat er zich in het binnenste van de rups afspeelde. Ik wachtte tot de wespeneitjes uit zouden komen, stelde me voor hoe de larven de energiereserves van de rups aftapten, hem beroofden van zijn wil om te leven, of zich voort te planten, zijn balletjes deden verschrompelen zodat hij geen zin meer zou hebben in rupsenseks. Hoe ze zijn bloed dronken en alles opvraten behalve zijn vitale organen. Als ik lang genoeg zou wachten, zou ik kunnen zien hoe de larven naar buiten kwamen en in babywespjes veranderden. Ik zou het rupsenlichaam zien verkruimelen als de as aan een uitgedoofde peuk. En ik zou het raam opengooien en de babywespjes vrijlaten, terwijl de dood van de rups ongewroken bleef door Moeder Natuur, omdat het Moeder Natuur niets kan schelen.

Toen mijn moeder thuiskwam bewoog ze zich als een oude vrouw en moest ze elke avond een zoutbad nemen. Op een gegeven moment riep ze me de badkamer in, ik schaamde me dood, maar ze had al haar vrouwelijke delen bedekt met handdoeken, behalve daar waar het litteken van haar onderbuik omhoogliep, met witte lippen als de glimlach van een nazi.

'Dat is van de operatie,' zei ze.

Ik bromde iets terug, excuseerde me en liet haar over aan haar bad.

Hoewel mijn moeder aan de beterende hand was, wilde mevrouw Nagle per se nog een poosje blijven.

'Alleen tot je weer op de been bent,' zei ze. 'Ik sta erop.'

Die hele periode hoorde je overal in huis het sissende geluid van fluisterende vrouwenstemmen. Ik verschuilde me op mijn kamer en las stripverhalen en maakte tekeningen van kraaien of wormen. Na een paar weken was mijn moeder voldoende opgeknapt om weer te gaan werken, maar mevrouw Nagle maakte geen aanstalten om te vertrekken. Hoeveel hints mijn moeder haar ook gaf, ze schenen niet tot haar door te dringen, totdat ze op een ochtend ruzie kregen en mevrouw Nagle de deur uit stormde, lamenterend dat de mensen tegenwoordig geen waardering meer hebben voor een goede daad, en dat ze hoopte dat het slecht met ons af zou lopen.

Toen ze eenmaal weg was, werd alles weer normaal.

Maar niets voelde meer hetzelfde.

's Nachts droomde ik een keer dat de aarde zwartgeblakerd was door een kernoorlog. Alles werd middeleeuws en de paar mensen die in leven waren gebleven werden geterroriseerd door gemuteerde reuzenkraaien zo groot als pterosauriërs, die op hen aasden. Deze beesten doorkruisten de lucht als zwermen swastika's, kwelden de hemel met hun vragen.

Kaa? Kaa?

Mijn stamnaam was John de Kraaiendoder en het was mijn taak om ervoor te zorgen dat de reuzenvogels uit de buurt van de mensen van mijn stam zouden blijven. De hele dag sloop ik door de velden rondom onze nederzetting, hield de wacht op steenhopen en ruïnes, Hars kruisboog in de hand, nam de kleintjes in bescherming tegen rondcirkelende bonte kraaien, kauwen en eksters zo groot als vliegtuigen, die voortdurend *waar-waar-waar* krasten, hun kraalogen strak gericht op ons sappige mensen, kale, hapklare lekkernijtjes.

Eén vet beest met jakhalsachtige ogen werd langzaam gek van de honger. Hij zag mij en zette een lage duikvlucht in. Ik zette de kruisboogkolf tegen mijn schouder, kneep één oog dicht en stelde scherp.

Denk eraan: de pijl gehoorzaamt de pees, niet de boog.

De kraai doemde kolossaal op in het dradenkruis.

Nog dichterbij, bek wijd open, doorgedraaid van de honger.

Ik telde de seconden.

Een.

Twee.

Twee en een half.

Mijn vinger aan de trekker werd wit.

Schiet!

De pijl vloog weg, een bliksemschicht doorspieste de kraai. Hij viel als een baksteen uit de lucht, trilde en flapperde en spoot raar groen bloed rond als een tuinsproeier.

'Ha!' zei ik.

De rest van de meute vloog in paniek uiteen, maar het duurde niet lang voordat ze zich gehergroepeerd hadden. De hemel werd zwart. Sommige kraaien stortten zich op hun gevallen kameraad en rukten zijn karkas uiteen, ingewanden dropen uit hun bek. Andere jouwden en schimpten en bereidden zich voor op de aanval.

Ik stak mijn hand in de pijlkoker, haalde er nog een pijl uit, trok de pees naar achteren. Door het vizier van de kruisboog zag ik een grote, zwarte, schooierige klootzak van een kraai, groter dan alle anderen. Mijn vinger aan de trekker verstijfde. Zijn ogen waren enorm, als een dubbele caleidoscoop, draaiend en kolkend en gloeiend als gele kolen. Hij opende zijn bek, en toen hij sprak was het alsof zijn stem binnen in mijn hoofd klonk.

Soms verandert de worm, John. Soms verandert hij in een slang.

Ik was in trance en kon mijn ogen niet afwenden. Mijn handen deden niet wat ik wilde. Ze draaiden de kruisboog om totdat zijn koude snuit in mijn mond stak, mijn duim krulde zich om de trekker.

Schiet.

Onderuitgezakt aan tafel, bevochtigd door damp van de pap, zag ik mijn gezicht in de glazen melkkan, stuurse, scheel kijkende ogen onderstreept met blauwe kringen. Mijn huid barstte van de agressieve puistjes en mee-eters. Het eerste beetje baardgroei probeerde zijn best te doen op mijn bovenlip en kin. Ik had de baard in de keel gekregen en mijn stem was nu een octaaf dieper. Ik was dertien. De wereld vond mij niet aardig.

'John.' Mijn moeders stem werd gemegafoond door haar mok. 'Ken je Leviticus 15?'

Ik schepte pap in mijn mond.

'Niet uit mijn hoofd.'

'Daarin staat: *Een ieder man, als hij vloeiende zal zijn uit zijn vlees, zal om zijn vloed onrein zijn.*' Ze zette haar mok neer en schraapte haar keel. 'Vertel eens, jongen, heb je je wel eens overgeleverd aan bepaalde daden van, eh, zelfbevlekking.'

Een brokje havermout schoot het verkeerde keelgat in. Ik hoestte en proestte en piepte. Ze boog naar voren en bonkte op mijn schouders.

'Alleen omdat je de laatste tijd symptomen begint te vertonen van de chronische zelfmisbruiker.'

Het brokje kwam er weer uit. Ze hield op met bonken. De wijsvinger van haar rechterhand drukte elke vinger van de linkerhand om beurten naar beneden.

'Je bent begonnen gezelschap te mijden.'

Dat was de pink.

'Ik hoor je dag en nacht door het huis struinen.'

Ringvinger.

'Je hebt wallen onder de ogen, en je kijkt me nauwelijks aan.'

Middelvinger.

'Je hebt echt trillende handen.'

Wijsvinger.

'En je bent zowat helemaal weggeteerd.'

Duim.

Ik kuchte en schraapte mijn keel. Ik voelde de waterige havermout nog steeds in mijn longen zitten.

'Ma,' zei ik, 'je klinkt net als mevrouw Nagle.'

Ik begon weer pap naar binnen te scheppen, maar ze klopte op de tafel om mijn aandacht te krijgen.

'*Een man, als van hem het zaad van de bijligging zal uitgegaan zijn, die zal zijn ganse vlees met water baden, en onrein zijn tot aan de avond. Ook alle kleed, en alle leer, waaraan het zaad van de bijligging wezen zal, dat zal met water gewassen worden, en onrein zijn tot aan de avond.* Deuteronomium. Of Leviticus. Ik weet niet meer precies.'

Ze staarde over mijn linkerschouder de oneindigheid in.

'Een grondig sponsbad, dat zou je goeddoen.'

Ze nam een slokje van haar thee en gluurde met een sluwe blik over de rand van haar mok.

'Ik zal nooit vergeten hoe je altijd sproeide als een tuinslang als ik je een schone luier aandeed.'

Er speelde een bijna weemoedige glimlach om haar mond. Een klodder pap floepte uit mijn mond in de kom. Ik kon niet bepalen of dit hele gedoe een of andere grap was. Ik wist niet eens zeker of ze dat zelf wel wist. Ze zuchtte, frunnikte met haar vingers aan haar haar, en zei, 'John, heb je fantasieën? Over meisjes?'

'Nee.'

'Over jongens?'

'Maaaa!'

Dat kwam eruit als geblaat. Ze trok een wenkbrauw op en grijnsde.

'Schápen?'

Als mijn moeder vermoedde dat er iets mis was, was de remedie meestal pijnlijker dan de kwaal. Zoals die keer dat ze een splinter uit mijn hand peuterde met een naald die ze had gesteriliseerd in de vlam van haar aansteker. Of toen ik een blaar op mijn hiel had van mijn nieuwe schoenen en ze hem opendrukte met haar vingernagels en de gevoelige nieuwe huid bestrooide met zout.

'Heb ik je ooit het verhaal verteld over Labrha Loingseach,' vroeg ze, 'de koning met de ezelsoren? Volgens de legende werd elke kapper die de haren van koning Labrha knipte daarna gedood zodat ze zijn geheim niet prijs konden geven. Maar er was één kapper die smeekte te worden ontzien omwille van zijn vrouw en kinderen. De koning kreeg medelijden met hem en was bereid om hem in leven te laten zolang hij zijn mond hield. De kapper ging akkoord, maar na verloop van tijd werd hij gek van de gedachte aan wat er onder Labrha Loingseachs haar zat, dus ging hij naar het bos en gooide zijn armen om een boom en fluisterde zijn geheim in een knoest in de bast. Maar een van de hofmusici vroeg een houthakker de boom om te hakken om een harp te maken van het hout, en toen hij de harp bespeelde in het hof van de koning weerklonk er een stem: "Labrha Loingseach heeft ezelsoren". Toen begonnen alle bomen uit het bos mee te zingen en rende de koning diep gekrenkt weg uit zijn kasteel.'

Ze aaide me over mijn hand.

'Weet je, geheimen komen vroeg of laat toch uit. Dus vertel eens. Hoe komt het dat je 's nachts niet kunt slapen?'

Meer kon ik niet verdragen. Ik vertelde het haar.

'Ik heb soms nare dromen, da's alles.'

Ze knipperde met haar ogen. Meer deed ze niet. Haar gezicht kwam zo dichtbij dat ik de rook in haar adem kon ruiken.

'Waarover?'

Ik schudde mijn hoofd, lepelde telkens koude drab op en liet de brij weer terugvallen in de kom.

'Nergens over. Gewoon allerlei stomme dingen.'

Mijn moeders ogen flitsten de kamer rond. Ze keken naar het haardvuur, de kolenemmer, de Heilig Hartlamp, Karel Kapsel. Ze tuurden uit het raam naar de bomen. En ze lichtten op bij het zien van het tv-toestel op het dressoir.

'Dat rotding ook,' zei ze, haar gezicht strak en vastberaden. 'Het werk van de duivel.'

Ik had geen idee wat ze bedoelde.

Ze liep de keuken door, rukte de stekker uit het stopcontact, worstelde de tv van het dressoir en zwalkte ermee door de kamer.

'Doe de deur open,' gromde ze.

'Wat doe je nu?'

'Iets wat ik al veel eerder had moeten doen. Maak de deur open en doe wat ik zeg.'

Ik stond op en trok de deur wagenwijd open. Ze strompelde naar buiten en zette de tv op het voorpad neer, het snoer over de grond gekronkeld als een drietandige staart.

'Ik verkoop dat ding. En verder wil ik er niks meer over horen.'

Ze maakte haar dreigement waar. Later die middag kwam Har Farrell het ophalen. Er werd geld voor betaald. Maar van mijn dromen kwam ik daardoor niet af.

De kerktoren steekt dreigend uit boven het dorpje Kilcody, Gods bliksemschicht. De oude kraai heeft zijn klauwen om de windwijzer op de spits geklemd. Hij huppelt heen en weer, een kind dat de wee-wee-*dans doet, zet zijn veren op, een zwarte boa om hem heen, en werpt een boosaardige blik op de mensen beneden, die onder de boog van de kerk door lopen.*

Een windvlaag roteert de windwijzer stapsgewijs langs de vier punten van het kompas. In het westen staan de bergen van de Holla schouder aan schouder als brute reuzenbroers. In het noorden laat de Waxonfabriek vluchten verwilderde en peuk rokende meisjes en stoere jongens in spijkerjasjes uitzwermen. Zuidwaarts, The Ginnet, de bibliotheek, Tyrell's fietsenwinkel. En aan de andere kant van de rivier en de spoorbaan loopt de weg naar het oosten richting zee door zeven kilometer veld, rechtstreeks de golven in.

De sonar van de kraai tast de omgeving af. Zwart geflapper en hij zweeft over de grafstenen, die uit het modderige leem steken, over het hoofd van de grote stenen engel op een sokkel in het midden van het kerkhof, en laat de mensen over aan hun menselijke bezigheden.

III

De meeste jongens zijn tegen hun vijftiende een en al armen en benen en een hoop nukkigheid, en bij mij was dat niet anders. Mijn moeder maakte zich soms zorgen dat ik geen vrienden van mijn leeftijd had, maar ik was tevreden met mijn eigen gezelschap, begroef mijn hoofd voortdurend in stripboeken en pockets, die ik uit het kraampje vóór de tweedehandswinkel in Barracks Street had gepikt.

Soms bracht ik de naschoolse uren door in de bibliotheek en las encyclopedieën en oude religieuze boeken die het Saint Patrickseminarie in Ballo had weggedaan. Er heerste een stilte als in de kerk in het steriele bibliotheeklicht en te midden van de stoffige vergeelde bladzijden en verbleekte inkt ging de tijd snel voorbij. Ik las tot mijn ogen uitgedroogd en gebarsten aanvoelden en ik wou dat er een chip bestond die je in je hersens kon laten implanteren die elk boek dat ooit geschreven was kon bevatten en dat je de tekst te allen tijde kon oproepen en de bladzijden voor je geestesoog door kon scrollen.

Maar als het warm en plakkerig weer was en buiten alles tot leven kwam, was het moeilijker om je te concentreren, dus hing ik om de tijd te doden rond in de minispeelhal in Fernies winkel, waar puisterige jochies met puilende ogen het ene muntje na het andere in de oude Space Invaders stopten. Of anders slenterde ik over het marktplein, waar plattelandslui op hun bus stonden te wachten, stropdas af en mouwen opgerold. Dat waren de laatste dagen van het schooljaar, de duffe dagen vlak voor de eindproefwerken, waarop de hitte benauwend was en de lucht zoet rook naar gemaaid gras.

Op zo'n dag ontmoette ik Jamey.

'*Hoi.*'

Ik hoorde de stem voordat ik het gezicht zag, maakte een hoek van 180 graden om de herkomst ervan te lokaliseren. Hij zat als een grote mossel op het voetstuk van het Father Carthy-monument. Er lag een boek op zijn schoot en aan zijn mond bungelde een onaangestoken peuk.

'Jij daar met die kop,' zei hij, terwijl hij zijn boek op de rand legde. 'Heb je 'n vuurtje?'

Ik kocht nooit sigaretten, nog niet, maar ik had wel altijd lucifers op zak om op te kauwen of om pissebedden aan te prikken. Hij maakte zich los uit de schaduw van Father Carthy en stond op om ze van me aan te nemen. Het leek alsof de moleculen van zijn gedaante, zijn hele zelf, zich verplaatsten en recombineerden in het zonlicht.

'Ik heet Jamey Corboy,' zei hij.

Hij bood me een sigaret aan. Ik aarzelde een beetje, maar hij bleef aandringen.

'Ik heb er zat. Ik heb een paar weken geleden ingebroken bij The Ginnet. Vier flessen wodka en zes sloffen peuken buitgemaakt.'

Dat was nogal wat om iemand te vertellen die je nog maar net ontmoet had, maar ik ging er niet op in. Ik nam de sigaret aan en hij stak de zijne en de mijne aan. De rook smaakte zuur en ik werd een beetje misselijk van de uitwerking ervan.

Jamey had een lange jas aan, die tot op zijn schenen kwam. Zwarte spijkerbroek en legerkistjes, achterovergekamd slap haar, een hoog voorhoofd en een beetje een haakneus. Hij had intens blauwe ogen, bijna bangig, en als je hem aanraakte, schrok hij.

'Ik hoop niet dat we zulk weer krijgen als jij verwacht,' zei ik. 'Je zult het wel heet hebben.'

Hij tipte as op de grond.

'Ik pas mijn kleren niet aan het weer aan.'

Hij was komen aanwaaien uit Ballo, zat een jaar boven mij, eindexamens voor de deur. Zoals alle transplantaten was hij een beetje een loner, de enige jongen op school die onder het afdakje in zijn kladschrift zat te schrijven in plaats van over het schoolplein achter een kapotte voetbal aan te rennen. Hij woonde in een van de mooie huizen op Summer Hill, die met de nette gazons en de palmbomen.

Volgens de leraren had hij hersens te over maar een absoluut gebrek aan motivatie. Toen ik hem wat beter leerde kennen vertelde hij dat hij geadopteerd was en dat toen zijn broertje geboren werd het leek alsof hij niet meer bestond. Iedereen schatte hem altijd ouder in dan hij was. Daardoor werd hij bediend in de pub; hij straalde zelfvertrouwen uit.

Voor de deur van Brown's Elektrische Apparaten, aan de overkant van de weg, waren een stel jonge, kortgerokte grieten van het Mercycollege elkaar onder de kont aan het schoppen. Meneer Brown kwam naar buiten en joeg hen weg. Jamey keek het zich allemaal aan, zijn mondhoeken getart door een glimlach.

Ik knikte in de richting van zijn boek.

'Wat ben je aan het lezen?'

Hij pakte het en bladerde het door.

'*Rimbaud in Afrika.*'

'Wie is Rimbaud?'

'Een schrijver.'

Jamey griste zijn haar uit zijn ogen.

'Slimme gozer. Had de poëzie al op zijn eenentwintigste radicaal veranderd, gaf er vervolgens de brui aan en nokte af naar Afrika om fortuin te maken met de handel in wapens en slaven.'

Hij zwaaide met zijn handen terwijl hij sprak, een rookspoor van rondjes en spiralen in de lucht.

'Met zijn kameraden dronk hij altijd absint in De Dode Rat, een of ander hol in Parijs. Op een keer sprong Rimbaud op de tafel, trok zijn broek naar beneden, draaide een drol en maakte er een tekening in. Ook dol op godslastering, kraste graffiti in parkbankjes. *Merde a Dieu.*'

'Wa's dat?'

'Zoek maar op.'

'Zal ik doen.'

Ik bukte me om *Harpers Compendium* uit mijn schooltas te pakken.

'Ik ben dit aan het lezen.'

Jamey haalde een brilletje uit zijn borstzak en zette het op zijn neus. Het had een rond, stalen montuur en zijn gezicht veranderde er totaal door, werd uilachtiger. Hij bladerde het boek door.

'Man,' zei hij, zijn ogen glinsterend achter de brillenglazen, 'dit is krankzinnig.'

Hij bladerde naar de plaatjes en staarde met open mond naar een illustratie van een lintworm die uit een slak kroop.

'Jezus christus, da's walgelijk.'

Vervolgens wees hij een plaatje aan van een maai die zich in een stel hersens genesteld had.

'Wat ís dit? Wormenporno? Hóú jij van dit soort dingen?'

Ik haalde mij schouders op.

'De natuur is behoorlijk geschift.'

Hij klapte het boek dicht en duwde het in mijn handen.

'Sorry man, maar dat kan ik niet aanzien.'

Hij huiverde alsof hij moest plassen, liet zijn sigaret vallen en plette hem onder zijn voet. Voor Brown's Elektrische Apparaten begon een zigeunerachtige vent met een platte hoed accordeon te spelen, de koffer open aan zijn voeten. Een paar jongelui kwamen om hem heen staan en begonnen hem met muntjes te bekogelen. Iemand greep de koffer en sleepte hem achter zich aan. De muzikant schreeuwde en graaide ernaar. Iemand anders pakte hem op en maakte zich uit de voeten, en de muzikant rende onbeholpen achter hem aan, de accordeon nog steeds om zijn borst gegespt.

Jamey wreef over zijn kin. Er zat een ring om de vierde vinger van zijn rechterhand. Een of andere steen, granaat misschien.

'Hé,' zei hij, 'wil je een verhaal horen? Echt iets voor jou.'

Ik kreeg langzaam het gevoel dat het te opvallend begon te worden zoals ik daar midden op het marktplein met deze rare knul stond te praten, maar ik had nu eenmaal niets anders te doen.

'Wat dan?'

'Het gaat over een meisje, Annie.' Hij plukte een stukje tabak tussen zijn tanden en zijn tong vandaan en schoot het weg. 'Op een ochtend werd ze wakker en had ze jeuk op een plek waar ze niet helemaal bij kon, diep beneden in de kelder van de vrouwenafdeling. Een irritatie. Het werd zo erg dat ze een afspraak met de dokter moest maken. Toen ze in de wachtkamer zat, keek ze tegen een oogtestkaart aan en begonnen de letters s, o en a op te gloeien.'

'Hoezo?'

'Seksueel overdraagbare aandoening. Geslachtsziekte. Maar ze dacht dat het dat niet kon zijn, want zij en haar vriendje gebruikten altijd een condoom. Bovendien was hij nog maagd geweest toen ze elkaar leerden kennen. Hij heette Gavin en het was zijn grote ambitie om ooit rijkspatholoog te worden. Ze hield wel van nerds. Heel veel meisjes trouwens, meer dan je zou denken.'

'Weet ik.'

Ik wist het niet.

'Maar goed, in het begin deden ze het als de konijnen, maar hun seksleven bekoelde een beetje toen hij nog een tweede baantje erbij nam. Stress, man. Echt een dooddoener. Dus zij dacht dat het vast iets onschuldigs was, een schimmelinfectie of zo.'

Zijn ogen glinsterden terwijl hij sprak, die flauwe glimlach om zijn mond. Te zien hoe zijn hele lichaam betrokken leek bij het vertellen van het verhaal was even amusant als het verhaal op zich.

'Dus ze zag erg op tegen het onderzoek toen ze de behandelkamer in ging. Ze kende de dokter al sinds hij haar een tbc-spuit had gegeven. Echt, ze ging door de grond. Maar ze vertelde hem wat er aan de hand was, en de dokter porde en prikte overal eens goed, en toen hij klaar was vroeg hij: "Annie, heb je een vaste seksuele relatie?"'

Jamey ging nu zo op in zijn verhaal dat er zich in zijn mondhoeken belletjes spuug begonnen te vormen.

'Toen ze ja zei, vroeg hij waar dit vriendje was. Ze zei: "In Rouwcentrum Park Road." De dokter knikte alsof daarmee alles duidelijk was. En Annie vroeg: "Dokter, wat heb ik van die rotzak gekregen?" En de dokter zei alleen maar: "Dat hoef je nu nog niet te weten." Maar ze stond erop. "Wat het ook is, ik moet het weten," zei ze. "Ik bedoel, is het dodelijk?" En de dokter deed even zijn ogen dicht en zei: "Nee, Annie. Tenminste voor jou niet."

'En?' vroeg ik.

'Hm?'

'Wat had ze?'

'Maaien.'

Mijn moeder stond aan het aanrecht aardappelen schoon te boenen, ze legde de schone een voor een in een vergiet op het afdruiprek. Ze schuurde over de schillen en stak met een mes de oogjes uit, en begon vervolgens uien te snijden op een snijplank. Toen ze zich mijn aanwezigheid gewaarwerd, draaide ze zich om en haar ogen waren rood en gevuld met tranen door het prikkende sap van de uien. Ze veegde over haar gezicht met de opgestroopte mouw van haar vest.

'Wat eten we vanavond?' vroeg ik.

'Varkenspoten met behaarde karnemelk.'

Ze klonk moe. Ze vulde de grote pan tot aan het streepje in het midden met kraanwater, hees hem kreunend op het fornuis en veegde haar handen af aan een vaatdoek.

''k Heb je vandaag gezien in de stad,' zei ze.

Stad. Ze noemde Kilcody altijd een stad.

'Je hing rond met die jonge Corboy.'

Ze draaide zich om en haar gezicht zag er afgetobd uit, haar ogen opgezet.

'Je was aan het roken.'

Ik gaf geen antwoord, bleef alleen heel schuldbewust staan. Ze trok een stoel naar zich toe, ging aan tafel zitten en trok een Silk Cut Light uit het pakje. Haar nieuwste merk. Peuken voor zwangere vrouwen, noemde ze ze. Ze scheurde de filter eraf en schroefde hem in de houder.

'Die rotdingen ook.'

Daar komt de preek, dacht ik. Het evangelie volgens mevrouw Nagle, betreffende de schadelijke gevolgen van het roken van tabak. Hoe het de vitale organen aantast en brandend maagzuur, misselijkheid, oprispingen, diarree, kortademigheid, hartkloppingen, druk op de borst en rugpijn veroorzaakt. Hoe het slaperigheid, verlamming, onnatuurlijke slaap en boze dromen kan oproepen.

Maar ze zei niets, rookte de sigaret gewoon tot aan de lettertjes op terwijl ik zat te wachten, niet wetend of ik naar boven, naar mijn kamer, kon gaan of moest blijven zitten.

Eindelijk drukte ze de peuk uit in de schelp op tafel. Ze pakte een lucifer en stak hem in de houder, draaide hem kloksgewijs rond. Toen ze de lucifer eruit haalde, was het puntje besmeurd met iets wat eruitzag als zwart oorsmeer.

'Zie je dat?' vroeg ze. 'Dat is teer. Als je maar genoeg peuken

rookt, komen je longen daarmee vol te zitten.'
Ze legde de vieze lucifer in de asbak.
'Je gaat eraan dood, jongen. Stop ermee nu het nog kan. Hoor je wat ik zeg?'
'Ja.'
'Goed. Ga nu maar.'
Ik liep de trap op.
'En jongen.'
'Ja?'
Ze staarde voor zich uit, haar gezicht onleesbaar, rook om haar hoofd als een of ander aureool dat zich langzaam oplost.
'Blijf uit de buurt van die Jamey Corboy.'

In de laatste schoolweek nodigde Jamey me uit bij hem thuis om naar zijn boeken te komen kijken en er misschien een paar te lenen. Er deed niemand open toen ik op de voordeur klopte, dus duwde ik de brievenbus open en gluurde naar binnen.
'Hallo?'
Er verscheen een vrouw in de hal, in widescreen door de rechthoekige klep. Ze was, op een broze manier, mooi om te zien, haar geblondeerd en met een banaanvormige clip vastgezet in een hoge paardenstaart, die de huid zo strak trok dat het leek alsof ze een facelift had gehad.
'Hé, hallo,' zei ze toen ze de deur opendeed, slank en schoon in een lichtblauwe zomerjurk. Met haar katachtige groene ogen bekeek ze me van top tot teen. Ik schraapte mijn keel en probeerde zo onschuldig mogelijk te kijken. Ouders laten zich makkelijk om de tuin leiden. Je hoeft alleen manieren te tonen.
'Ik ben John,' zei ik. 'Een vriend van Jamey.'
Mijn stem was vanzelf een halve toon omhooggegaan.
'O ja.' Haar ogen glinsterden een beetje. 'Kom binnen. Ik ben Deirdre. Kortweg Dee.'

Deirdre – Dee – sprak over haar schouder terwijl ik mijn voeten veegde op de deurmat.

'Ik ben blij dat Jamey hier een vriendje heeft gevonden,' zei ze. 'Ik was bang dat hij zich nooit thuis zou gaan voelen.'

Ze riep de trap op, draaide zich om en legde haar hand op mijn arm.

'Sorry hoor, maar ik ben je naam nu al vergeten. Je vindt me vast vreselijk onbeleefd.'

'John.'

'O ja.'

Boven ging een deur open, je kon een of andere dolgedraaide soort tekenfilmmuziek horen, een hoop gekrijs en gejank, en Jamey kwam met twee treden tegelijk de trap af.

'Hé, wormenjongen,' riep hij.

Dees voorhoofd verrimpelde bij het horen van die bijnaam. Ze liet mijn arm los en wreef zachtjes over haar voorhoofd als om de kreukels glad te strijken. Ze wilde iets zeggen, bedacht zich, schudde lichtjes haar hoofd, alsof wat er zich zojuist had voorgedaan een mug was die weggejaagd moest worden.

'Even naar de keuken,' zei ze, terwijl ze in die richting liep. 'Ik heb het eten opstaan.'

Jamey was op kousenvoeten. Hij keek naar mijn gympen.

'Heeft ze je niet gevraagd om je schoenen uit te doen?'

'Nee.'

Hij blies zijn adem uit door zijn neus.

Hun keuken was helder en fris. Het aanrecht glom en alle keukenapparatuur zag er gloednieuw uit. Het rook er anders dan in mijn huis. Het rook naar niks, ontspannend.

Jamey lepelde oploskoffie in een paar mokken, schonk er melk bij en roerde alles tot een papje voordat hij kokend water toevoegde uit de waterkoker. Zijn moeder liep druk heen en weer om sleutels en wat spullen bij elkaar te rapen.

'Ik moet je broertje ophalen,' zei ze. 'Ik ben zo weer terug.'

Ze keek Jamey veelbetekenend aan terwijl ze de deur uit liep.

'Niet te veel herrie maken, hoor.'

Er was een voortdurend getouwtrek aan de gang tussen Jamey en zijn moeder, iets onderhuids. Dat viel me die eerste dag al op. De dingen die ze tegen elkaar zeiden waren de topjes van scherpe ijsbergen, niet meer dan een fractie van de werkelijke omvang liet zich zien.

Jamey gaf me een mok met een foto van Lady Di erop.

'Kom, we gaan naar boven,' zei hij met een ruk van zijn hoofd.

Dik tapijt dempte onze voetstappen op de trap en de overloop. Hun hele huis zag eruit alsof het werd onderhouden door zo'n huisrobot uit een of andere futuristische film waarin een slimme computer je wekt met rustige klassieke muziek, koffie voor je zet en de douchekraan opendraait. De muren waren pas geverfd en de was lag netjes op een stapeltje in de wasmand, nergens rondslingerende losse sokken of schoenen. Ik voelde me daartussen net een lopende vuilnisbelt.

Jamey duwde zijn slaapkamerdeur open met zijn voet en ik was enigszins gerustgesteld door de toestand van zijn kamer. Die was nog rommeliger dan die van mij. Boeken en cassettes stonden torenhoog opgestapeld naast een stereo-installatie. De luxaflex was naar beneden en er was een paarse sjaal met glitters over een lamp heen gedrapeerd.

'Ik heb het hier graag donker,' zei Jamey. 'Ik ben een beetje allergisch voor de zomer.'

Hij zette zijn mok op de vensterbank naast zijn bed en zwaaide naar een stapel oude elpees.

'Jij bent de dj.'

Ik zag er geen enkele naam bij zitten die ik kende.

'Zoek jij maar iets uit,' zei ik. 'Ik weet niet zoveel van muziek.'

Dat was niet helemaal waar. Ik luisterde heel veel naar de radio, maar ik zag nog steeds een beetje op tegen Jamey. Hij had meer elpees dan ik ooit gezien had.

Hij liet zijn duim over de hoezen glijden, koos een elpee uit en zette hem op. Elektronische geluiden leken vloeibaar te worden en uit de boxen te stromen, een glibberige, gevleugelde taal, waar ik geen vat op kreeg. Hij ging in kleermakerszit op de grond zitten en begon me allerlei boeken aan te geven. *Een seizoen in de hel* van Rimbaud. Dantes *Inferno*. Een *Les Fleurs du Mal* met een gebroken rug en hongerig uitziende orchideeën op de kaft. Ik legde de boeken naast me neer.

'Je moeder was heel anders dan ik verwacht had,' zei ik. 'Ik dacht dat ze wat meer...'

'Meer wat?'

'Meer achterdochtig zou zijn.'

Jamey lachte.

'Dee is iemand die graag het beste in de mensen ziet. Dat is grappig aan haar, eigenlijk.'

Hij noemde zijn ouders altijd bij hun voornaam. Ik kon me absoluut niet voorstellen dat ik mijn moeder Lily zou noemen.

'Wel een beetje neurotisch. Geeft meer geld uit aan hygiënische doekjes dan aan eten. Maurice is net zo erg. Typisch een tandarts. Wist je dat bij tandartsen in vergelijking met andere beroepen het hoogste aantal zelfmoorden voorkomt? Dat zal wel komen doordat ze de hele dag in vieze bekken moeten kijken. Al die slechte adem en aangekockte tanden, daar zou iedereen toch levensmoe van worden?'

Hij zwaaide vagelijk in de richting van de kamer naast ons.

'Je zou zijn studeerkamer moeten zien. De muren hangen vol met plaatjes van mondaandoeningen, abcessen en zweren en zo. Vroeger was hij bokser, niet te geloven, hè? Hij was kennelijk nogal behendig met zijn vuisten toen hij nog jong was. Een paar trainers dachten zelfs dat hij misschien in het olympisch team zou kunnen komen, maar hij stopte ermee toen hij ongeveer zo oud was als ik. Eerst sloeg hij de mensen de tanden uit hun bek en later ging hij ze er weer in zetten.'

Hij viel stil, en de muziek zwol aan om de leegte te vullen.
'Weet je, ik denk dat Dee hem met een ander bedriegt.'
De huid van mijn nek begon te kriebelen.
'Echt waar?'
Hij tuitte zijn lippen en knikte langzaam.
'Ze heeft het of al gedaan, of ze is het van plan.'
Jamey leunde met zijn rug tegen de rand van het bed en trok zijn knieën op tot onder zijn kin. Even was alle zelfverzekerdheid verdwenen.
'Een paar maanden geleden was ik boven bij Donahue's,' zei hij zacht. 'Daar is zo'n soort discobar, hebben ze in het weekend een vergunning voor. Op een avond in de paasvakantie liep ik daar binnen om te kijken of er iets te doen was, weet je wel, qua chicks.'
Zijn stem trilde en hij moest zijn keel schrapen voor hij verder kon praten.
'Dee was, eh...'
'Wat?'
'Aan het dansen. In het midden van een groep kerels. En ze had zo'n klein zwart jurkje aan. Zo'n cocktailjurkje.'
Ik stelde me Dee voor in een klein zwart ding. Ze zag er behoorlijk goed uit.
'Gebeurde er iets?'
Hij trok een grimas.
'Ik ben niet blijven kijken.'
We luisterden naar de muziek en dronken onze koffie. Na een paar minuten voelden we de voordeur dichtslaan en iemand de trap op stampen.
'Daar komt zijne hoogheid,' zei Jamey. 'Nu is het gedaan met onze rust.'
De deur vloog open en zijn broertje stormde naar binnen, een mollig jochie met een bol gezicht en een flinke bos haar, gigantische ogen en een nog grotere grijns. Hij wierp zijn armen om Jamey, die hem terugknuffelde.

'Ollie,' zei hij, 'ik wil je graag voorstellen aan een vriend van me. Dit is John.'

De jongen staarde me aan, zijn buik puilde uit onder een fel blauw T-shirt met een geel Supermaninsigne. Zijn kin glansde van het kwijl. Hij greep mijn mouw vast en begon eraan te rukken.

'Tekenfilms,' zei hij.

'Wat bedoel je?'

Hij rukte harder.

'Tééékenfilms.'

Jamey vertaalde het.

'Hij wil dat je televisie met hem gaat kijken.'

Hij begon zijn broertje voorzichtig de kamer uit te duwen.

'Nu niet, Ollie. John en ik moeten praten.'

'Tééékenfilms,' riep hij.

'Ik kijk straks wel met je,' zei Jamey resoluut. 'Dat beloof ik.'

Hij jaagde de jongen de overloop op en maakte de deur dicht.

'Jezus,' zei ik. 'Wat een bal energie.'

Er werd op de deur geklopt. Jamey deed open, en daar stond zijn broertje met zielige hondenoogjes.

Jamey schudde zijn hoofd en grijnsde.

'Jij weet ook niet van ophouden, hè?'

We gingen naar Ollies kamer en gingen languit tussen de opgehoopte Beanie Baby's en knuffelhusky's liggen en keken naar de tekenfilms op de draagbare televisie, het jochie schaterend en in zijn handen klappend. Jamey trok een zakje zuurtjes uit zijn zak.

'Geef er maar een aan Ollie,' zei hij. 'Vriendschap voor eeuwig verzekerd.'

Ik pikte een plakkerig snoepje uit het zakje en gaf het aan Ollie, die het met zijn vuile vingers aanpakte en zonder nadenken in zijn mond stopte, zijn ogen aan het scherm vastgelijmd. Hij lachte zo hard bij het zien van een school dansende kwallen dat hij begon te piepen en te kuchen, toen bolden zijn ogen op en greep hij naar zijn keel. Ik keek naar Jamey, die helemaal opging in de tekenfilm.

'Jamey,' zei ik, 'krijgt hij een aanval of zo?'

Hij wierp een zijdelingse blik op Ollie.

'Shit!'

Hij greep zijn broertje bij de schouders en begon hem heen en weer te schudden.

'Hij stikt!'

Ollie maakte vreselijke kokhalsgeluiden. Voordat ik iets kon bedenken, had ik Jamey opzij geduwd en de jongen met de hiel van mijn hand onder het borstbeen geraakt, heel hard. Ollie duwde me van zich af en probeerde weg te krabbelen. Ik stompte hem opnieuw, dit keer nog harder, en het zuurtje schoot uit zijn mond en knalde tegen mijn voorhoofd, en toen lagen hij en Jamey te rollen van het lachen.

'Erin getrapt!' riep Ollie en hij gilde van plezier en sloeg op zijn dijen. 'Erin getrapt!'

Een warme golf van opluchting vloeide uit het centrum van mijn maag en verspreidde zich tintelend naar mijn handen en voeten. Ik had woedend op hen moeten zijn, maar ik was alleen maar blij dat het drama was afgelopen.

'Sorry, man,' zei Jamey, zijn hele lichaam schuddend van het lachen. 'Het is Ollies favoriete act.'

Siberië was onze bijnaam op school voor Lokaal 15, wat niet echt een lokaal was maar een kaal noodgebouwtje dat in een vervallen staat verkeerde en op instorten stond, zo genoemd omdat het zo ver van het hoofdgebouw af lag en het er in de winter ijskoud was. Slechts een van de radiatoren deed het en er waren gaten gemaakt in de muren waaruit kalkachtige ingewanden sijpelden.

Maar nu was het vrijdagmiddag in de vroege zomer en iedereen was rusteloos, kon zich niet concentreren door de nieuwe hitte en de belofte van vakantie nog net buiten handbereik, als een idee dat maar geen werkelijkheid wilde worden. De vloer van het klaslokaal was bezaaid met een hindernisbaan van plunjezakken en grote lummelige voeten, de lucht zout en zuur van het zweet. Laatste Engelse les, juffrouw Ross de vervangster van mevrouw Lynch, die weer eens zwanger was.

Juffrouw Ross, voornaam Molly, heel begin twintig, was zo'n beetje het knapste wat er rondliep tussen de leraren, ofschoon neus en mond vagelijk aan een windhond deden denken. Er viel een bijna eerbiedige stilte toen ze zich omdraaide om in haar onberispelijke handschrift op het bord te schrijven, een vrij heftig gedicht over een of andere nimfijn die wordt aangerand door een grote vieze zwaan. Haar kont was werkelijk fascinerend, in een zo strakke broek geperst dat je de bilnaad er bijna doorheen kon zien. Voor me zat de slungelige Gabby Mahon, tegen zijn tafeltje gedrukt, aan de voorkant van zijn broek te rukken en te kreunen alsof hij te veel wilde appels gegeten had. Juffrouw Ross beëindigde het gedicht met een zwierig gebaar, legde haar krijtje op het randje en draaide zich om naar de klas. Het verdwijnen van haar achterste werd enigszins gecompenseerd doordat haar bloes tot aan het derde knoopje openstond.

'Goed, jongens,' zei ze, terwijl ze het krijtstof van haar handen klapte, 'ik wil dat jullie dit in jullie schrift overschrijven en voor maandag de eerste twee stanza's vanbuiten leren.'

Gabby Mahon stootte opnieuw een gepijnigd geluid uit. Juffrouw Ross raadpleegde de presentielijst, nog te nieuw om al vertrouwd te zijn met onze namen.

'Gabriel Mahon,' zei ze, 'zou je op willen staan en ons de eerste acht regels hardop voor willen lezen?'

Gabby kwam overeind, beduusd van de blauwe ballen,

keek half scheel naar het bord en probeerde te spreken. Hij werd lijkbleek en zijn ogen rolden omhoog tot je alleen het wit nog kon zien en hij viel flauw en moest de klas uit worden geholpen, het heldere zonlicht op het schoolplein in.

We waren allemaal stinkjaloers op hem.

De eindexamens zouden Jamey minstens een paar weken uit de roulatie hebben moeten houden, maar hij was zo iemand die het kon maken helemaal niets uit te voeren, die alles er pas op het allerlaatste moment in stampte en vervolgens alle vragen moeiteloos beantwoordde terwijl wij er onze nagels bij opvraten.

Een paar dagen nadat de examens begonnen waren, liep ik langs het café met het reclamebord op de deur voor goedkoop bellen naar het buitenland. Ik zag hem aan een tafeltje bij het raam zitten. Hij zat over een Moleskine-notitieboekje gebogen, de *Ballo Valley Sentinel* en een kop koffie aan één kant naast hem, schooltas bij zijn voeten. Zijn opoebrilletje zat op het puntje van zijn haakneus en hij was druk aan het schrijven, de pagina vullend met eindeloze regels kriebelhandschrift. Bovendien had hij – ja echt – een pak aan. En geen tweedehands geval met een dubbele knopenrij, rafelige manchetten en te wijde broekspijpen, maar een echt driedelig pak, op maat gesneden. Hij zag er goed uit. Jameys houding ten opzichte van kleding zou ik nooit van mijn leven kunnen evenaren, hij scheen er dezelfde esthetische regels op toe te passen als op boeken of muziek. Ik deed gewoon aan wat mijn moeder voor me in de uitverkoop had gevonden.

Hij zag dat ik naar hem stond te kijken en hij gebaarde dat ik binnen moest komen. Het koffieapparaat achter de bar siste.

'Hoe staat het met de wormenjongen?' vroeg hij, bijna schreeuwend om boven het lawaai uit te komen.

Eerlijk gezegd hing dat wormenjongengedoe me intussen behoorlijk de keel uit. Hij moet mijn ergernis aangevoeld hebben want dat was de laatste keer dat hij me zo noemde.

'Wil je iets drinken?'

Ik schudde mijn hoofd en ging zitten. Hij spreidde de *Sentinel* uit op tafel, en tikte onder op de voorpagina.

'Moet je dit zien,' zei hij terwijl hij overeind kwam uit zijn stoel.

Ik las het artikel terwijl hij nog een koffie bestelde.

Plaatselijke asielzoeker spoorloos na aanval
Van onze verslaggever, Jason Davin

De plotselinge verdwijning vorige week van Jude Udechukwu, een twintigjarige illegaal wiens laatst bekende adres 14 Rafferty Street was, heeft voor veel verontrusting gezorgd. Udechukwu, zo heeft de Sentinel *opgemaakt, was in dienst als 'onofficiële' medewerker bij een plaatselijke garage. Men gaat ervan uit dat hij de avond voor zijn verdwijning onenigheid had met een aantal plaatselijke bewoners waarna hij niet meer op zijn werk is verschenen. De volgende dag nam een werkcollega contact op met de huisbaas van Udechukwu, Thos Rackard. Na onderzoek in zijn flat bleek dat veel van zijn persoonlijke bezittingen ontbraken. 'Het was wel raar,' vertelde Rackard de* Sentinel. *'Als hij van plan was geweest om er vandoor te gaan, zou je verwachten dat hij zijn borg terug had gevraagd. Ik was echt niet van plan om die te houden.'*

Bij het ter perse gaan van deze krant zei de plaatselijke politie dat men de verdere ontwikkelingen afwacht voordat er een opsporingsonderzoek naar de vermiste man wordt ingesteld.

'Stom woord, illegalen,' zei Jamey, terwijl hij zijn verse kop koffie naast de oude zette. 'Alsof ze eigenlijk niet mogen bestaan. Als je 't mij vraagt was hij het gewoon zat en is ie weer naar Afrika afgetaaid.'

Twee tellen later zei hij: 'Heb je die nieuwe winkel naast die van Fernie gezien?'

Dat had ik niet.

'O man,' zei hij. 'Moet je 's gaan kijken. Vol met maffe Afrikaanse spullen. Raar eten en allerlei sierdingen.'

Hij keek uit het raam van het café en zei, bijna tegen zichzelf: 'Dit is zo'n lijp dorpje. Echt, als ik hier weg ben, schrijf ik er een boek over waar je grijze haren van zult krijgen.'

'*Ik ben als enige ontkomen om het u te zeggen*,' zei ik.

Jamey trok zijn wenkbrauwen op.

'Wat is dat voor iets?'

Het was iets wat mijn moeder vaak zei, met een verhevenheid in haar stem die ze alleen bij citaten gebruikte. Ik herhaalde het en Jamey knikte.

'Waarom zijn jullie eigenlijk hierheen verhuisd?' vroeg ik.

'Vanwege Ollie. De speciale school is veel beter dan die in Ballo. Kleinere klassen.'

'Waarom zit hij op een speciale school? Volgens mij is er niks mis met hem.'

'Weet ik. Dat joch is slimmer dan ik. Typisch iets voor Dee. Zij denkt kennelijk dat hij extra aandacht nodig heeft. Ach ja. Ik vond het niet erg om te verhuizen. Ballo was echt oersaai, man. Een en al nieuwbouwwijken.'

Zijn blik werd gevangen door iets achter mijn rug. Zijn gezicht verstrakte en hij sprak heel zacht, bijna zonder zijn lippen te bewegen.

'Niet kijken, John, maar er staat een of ander oud wijf door het raam naar je te gapen.'

Langzaam draaide ik me om. Daar stond inderdaad een vrouw. Een grote vrouw met een gebreid hoedje op. Mevrouw Nagle was geen sikkepit veranderd sinds ik haar voor het laatst had gezien. Ze wendde haar ogen af en liep weer verder, zo'n boodschappentas op wieltjes voor zich uit duwend. Jamey keek haar na.

'Wat is dat voor een bemoeizuchtig mens?'

'O, gewoon de ouwe vrouw die in het bos woonde,' zei ik. 'Een Weela Weela Weila.'

Jamey pakte zijn spullen bij elkaar en stopte ze in zijn schooltas. Toen hij opstond, schoof hij een grote envelop van manillapapier over tafel. Ik pakte hem op en keek erin.

'Wat is dit?'

'Een van mijn verhalen. Niet meteen gaan lezen. Wacht tot ik de deur uit ben.'

Hij hees zijn tas over zijn schouder en liep naar buiten, in zijn piekfijn driedelig pak.

De envelop bevatte een aantal A4'tjes, handgeschreven en gefotokopieerd. Ik telde mijn kleingeld na, bestelde een kop thee en las het verhaal door.

De genade Gods
Door **Jamey Corboy**

De afspraak van twee uur werd afgezegd, dus Maurice verdiepte zich weer in zijn boek over de Ali-Foremanwedstrijd in Zaïre. Wanneer was dat geweest? 1972? '74? Hij kon zich herinneren dat ze er door de wazige ontvangst heen op de zwartwittelevisie in de keuken van hun oude bungalow naar gekeken hadden. Het was een traditie. Opblijven met zijn vader tot diep in de nacht om de grote wedstrijden te kijken, de Rumble in the Jungle, de Thriller in Manilla, de Olympische Spelen, de gênante vertoning van Ali tegen Spinks.

Voor Maurice bestond het leven uit niets anders dan boksen. Hij was nauwelijks zijn korte broek ontgroeid toen hij lid werd van de plaatselijke club, Saint Anthony's. Ze zeiden dat hij een natuurtalent was. Zijn ouwe was trots op hem. Hij was net zo goed in het incasseren als het uitdelen van klappen en bovendien was hij gek op trainen, de looptraining, de doffe klap van de bokszak, het petsen van de stootkussens, het *rappeta-tappeda* van de overheadbal, de geur van zweet en leren handschoenen.

Maar op een keer zag hij iets in Ballo waardoor alles anders werd, waardoor hij zo geschokt raakte dat hij nooit meer een boksring in klom. Als zijn vader hem vroeg wat er was, sloeg hij dicht. Zei alleen dat hij genoeg had van boksen en daarmee af.

Zijn moeder was allang blij. Sinds de tijd dat er een jongen uit de buurt onderuitgegaan en gestorven was na een partij in Balinbagin was ze doodnerveus geweest. Vijftien was hij. Hoe heette hij ook alweer? Hij wist het niet meer. Uit de autopsie was gebleken dat hij een of ander propje in zijn hersenen had gehad waaraan hij waarschijnlijk vroeg of laat toch doodgegaan zou zijn, maar dat kon je niet zeggen tegen de bezorgde ouders en al die mensen die protestbrieven stuurden naar de krant en de gemeente erover aanspraken. Het gevolg was dat alle amateurclubs in het land gedwongen werden bescherming verplicht te stellen.

Net zoals de meeste jongens had Maurice een hekel aan die grote lompe hoofdbeschermers. Hij had er een opgehad tijdens de oefenwedstrijden en het was net alsof je stond te boksen met een valhelm op. Het bestuur van de club kon er slechts de schouders bij ophalen en zeggen dat ze het ook niet leuk vonden, maar wat konden ze eraan doen? Het toernooi op die dag in Ballo was een van de laatste waarin de jongens met bloot hoofd mochten boksen.

De wedstrijden vonden plaats in een tochtige oude aula. Tegen de tijd dat de delegatie van Saint Anthony's arriveerde was het nog steeds niet zeker of Maurice wel kon meedoen, dus probeerde hij zich te ontspannen en keek naar de juniorenpartijen, kleine ukkies met rode gezichten en snotneuzen die in het wilde weg om zich heen sloegen. Naarmate de middag vorderde werden de boksers steeds groter en ging de kwaliteit van de partijen vooruit. Maurice wilde net zijn spullen inpakken, toen Andy, een van de trainers van de club, met nieuws aankwam.

'We hebben een gozer voor je gevonden,' zei hij. 'Dus kleed je maar snel om.'

De kleedkamer stond vol met opgestapelde stoelen en

sporttassen en handdoeken. De bedompte lucht stonk naar zweet en spierbalsem. Maurice trok zijn trainingspak uit en zijn hemdje en sportbroek aan. Hij voelde hoe zijn maag zich samentrok, zijn nek tintelde. Hij dacht aan Onze-Lieve-Heer in de tuin van Gethsemane, bloed zwetend, en vervolgens aan het oude gezegde dat je nooit op een bokser moet wedden die voor de wedstrijd een kruis slaat, omdat een bokser die zijn lot overlaat aan de genade Gods een miskleun is.

'Kom, even je handen inwikkelen,' zei Andy, een kwieke man van in de dertig, pezig en klein als een jockey, een behendig bantamgewicht in zijn tijd. Hij pakte twee nieuwe rollen verband uit zijn trainingsbroek, scheurde in eentje een gat in het begin, schoof hem over Maurice' duim en begon zijn knokkels met geoefende deskundigheid in te zwachtelen, tussen de vingers door laverend, om de pols heen, de uiteinden aan elkaar knopend.

'Maak 's een vuist.'

Maurice trok zijn hand samen.

'Te strak?'

'Nee.'

Andy begon aan de andere hand, praatte ondertussen door.

'Die knul heet Timmy Breen,' zei hij. 'Hij is een centimeter of tien groter dan jij, dus je moet vlot zijn. Niet heen en weer blijven huppelen. Een directe en meteen wegwezen. Als je hem raakt, ga dan niet suf staan kijken om je handwerk te bewonderen. Links, rechts, links, en dan een rechtse hoek in zijn ribben. Boem-boem!'

Hij wipte overeind en deed een snelle reeks dodelijk uitziende vuiststoten in de lucht voor.

'Waar is je bitje?'

Maurice pakte het uit zijn sporttas en gaf het aan Andy, die het in de zak van zijn shirt stopte.

'Ga je daar maar warmlopen. Beetje schaduwboksen. Ik ga wel even kijken hoe het zit allemaal.'

Maurice danste door de kleedkamer, deelde fantoomcombinaties uit, lette op zijn houding, bovenlichaam iets voorover, goed gedekt, ribben beschermd door zijn ellebogen, kin ingetrokken, knokkels tegen zijn kaakbeen.

Andy stak zijn hoofd om de deur.

'Je bent aan de beurt.'

Maurice volgde hem de hal in en ging naast de ring staan, maakte zijn spieren los. Het publiek bestond uit andere boksers en hun familie en vrienden, rondrennende kinderen, ouwe kerels gehuld in overjas, de stuurlui aan wal. Andy hield de handschoenen open, grote rood-witte kussens van 14 ons. Toen hij dichtgeregen was, klom Maurice het podium op en glipte tussen de touwen door. Het canvas voelde hard en onbuigzaam aan onder de dunne zolen van zijn bokslaarzen. De andere jongen, Breen, stond al in de hoek aan de overkant, danste op de plaats. Hij had brede schouders en stevige benen en een blozend boerengezicht.

Andy spoelde het bitje af in de emmer water en stopte het in Maurice' mond. Hij moest altijd even kokhalzen als hij het tegen zijn verhemelte aan voelde.

In door de neus, uit door de mond.

'Hou die kin naar beneden,' siste Andy. 'Hij heeft reikwijdte, dus probeer onder zijn linker te komen en naar binnen te werken.'

Maurice knikte, sloeg zijn handschoenen tegen elkaar, wipte op de bal van zijn voeten. De scheids klom in de ring, een kale man in een wit T-shirt. Hij riep de twee jongens naar zich toe, blafte de regels uit en stuurde hen terug naar hun hoek.

'Aanvallend vechten,' zei Andy, met dringende stem. 'Goeie kerel.'

De bel galmde. Maurice sloeg snel een kruis en bewoog zich naar het midden van het canvas. De hand van de scheids stak omhoog als een onderbroken karateslag.

'Boks!' blafte hij.

Beide jongens tikten hun handschoenen tegen elkaar en begonnen om elkaar heen te draaien. Maurice zocht een opening in de dekking van de andere jongen. Hij maakte een paar schijnaanvallen op links om Breens reflexen te peilen, maar iets weerhield hem ervan om toe te slaan.

Vanuit zijn ooghoeken ving hij een glimp op van een jongen van zijn eigen leeftijd, die in elkaar gezakt en met een slappe onderkaak in de neutrale hoek stond, zijn handen gestoken in bokshandschoenen die slap om zijn knieën bungelden, bitje uit zijn mond hangend alsof hij een Amazone-indiaan was met zo'n schijf in zijn onderlip. Het kwijl liep langs zijn kin.

Door een reeks harde stoten schoot Maurice' hoofd achterover en daarna zat Breen boven op hem. Het voelde alsof er een muur over hem heen stortte. Een rechtse hoek in zijn maag en hij kreeg geen lucht meer, snakte naar adem. Zijn oren tuitten, schrille alarmbellen vals geworden door de knal, zijn geklutste hersens gilden *vechten-vechten-vechten* maar er was kortsluiting ontstaan, hij had geen dekking meer. Hij was zich vaag bewust van Andy, die vanuit de hoek stond te schreeuwen, tegen hem riep dat hij zich beter moest dekken.

Door een knal tegen zijn onderkaak vloog Maurice' bitje uit zijn mond, het bloed spoot uit zijn neus, liep achter over zijn nek als snot, verspreidde zich over zijn hele gezicht en besmeurde zijn shirt. De scheids legde het gevecht stil om het bitje te pakken en gaf het aan Andy om af te spoelen. Breen ging in de neutrale hoek staan. De verschijning was verdwenen. De scheids greep een handdoek en veegde het bloed van Maurice' gezicht en beval hun beiden om verder te boksen.

Breen sloeg nog wilder toe, met verpletterende vuistslagen, vastbesloten om er een eind aan te maken. Maurice raakte hem nauwelijks. Hij gooide zijn armen om de armen van de andere jongen om te proberen op adem te komen. Zijn handschoenen waren te zwaar om op te tillen, gloeiende teer in zijn aderen. Hij kon geen lucht krijgen door het bitje en niets zien door het prikkende zweet. Ze klampten zich aan elkaar vast als een stel zatlappen die probeerden te schuifelen op de dansvloer, toen maakte Breen zich los en dreef Maurice in een hoek en liet een spervuur van directen, hoeken en uppercuts op hem los.

De scheids legde het gevecht stil en stuurde Maurice naar zijn hoek.

Hij plofte neer op het krukje, zijn borst ging op en neer en brandde van de pijn, en Andy hield zijn hoofd achterover, sponsde het bloed van zijn gezicht en zei: *Goed zo, kerel*, zachtjes als in de kerk. Maurice kon geen woord uitbrengen, het enige waar hij aan dacht was die jongen met slome ogen wankelend op zijn benen in de neutrale hoek.

De scheids wenkte beide jongens naar het midden van de ring en pakte hen bij de polsen. Maurice hoorde de beslissing niet eens. Het enige wat hij zich kon herinneren was het weeë gevoel toen de scheids zijn arm losliet. Hij klom de ring uit, haastte zich naar de kleedkamer en zakte verslagen en moedeloos neer op de bank, probeerde de brok in zijn keel weg te slikken. Andy kwam binnen en maakte zijn handschoenen los.

'Wat gebeurde er, jongen?' vroeg hij.

Maurice kon geen antwoord geven.

Tijdens de lange rit naar huis was hij stil. Zijn ouwe kwam naar de achterdeur toen hij uit de auto stapte. Maurice schudde zijn hoofd en hij kon de teleurgestelde uitdrukking op zijn vaders gezicht niet verdragen, dus liep hij meteen door naar zijn kamer en ging op zijn bed liggen, met barstende koppijn, de smaak van bloed in zijn mond.

Hij kon het nu nog steeds proeven, meer dan dertig jaar later. Hij legde het boek opzij en probeerde zich de naam te herinneren van de jongen die dood was gegaan in Balinbagin. Hij staarde in het kolkende water van de spuugbak naast de groene leren stoel. Er zaten restjes opgedroogd bloed onder de rand. Hij haalde een pakje hygiënische doekjes uit een van de kastjes.

De naam van de jongen lag op het puntje van zijn tong. Iets wat begon met een O.

Hij begon de vlekjes weg te poetsen.

Op weg naar huis besloot ik om een kijkje te nemen in de nieuwe Afrikaanse winkel, waar Jamey het over had gehad. Het marktplein gonsde van de vrijdagmiddagwinkelaars, overal dubbel geparkeerde auto's. Ik liep Barracks Street af, Jameys envelop onder mijn arm. De winkel was niet moeilijk te vinden. Er stond een trapladder op een bespetterd plastic zeil voor de grote etalage. Een pas geschilderd uithangbord hing boven de deur.

AFRO-KILCODY SUPERSTORES
Afro-Euro-Aziatische Producten

Ik stapte door de deuropening. Een donkere man in een bont overhemd stond naast de kassa met een oude vent in overall te praten. De winkel was vergeven van de vreemde luchtjes, verf en zaagsel en de verschroeide geur van graan. Ergens jengelde een boormachine. Achterin stond een tafel waar een paar jonge zwarte mannen in voetbalshirts en baggy jeans rond een asbak zaten te roken en te kaarten.

Onder een handgeschreven bordje, AFRO-CARIBISCHE ETENSWAREN, lagen gelabelde zakken maïs en gestampte yamswortel, bloem en geitenvlees, gemalen rijst en trossen gitzwarte bananen. Er stond een glazen vitrine gevuld met video's met titels als *Panumo* en *Gazula* en *Ayefele*. Een rek met kranten en tijdschriften: *African Soccer*, *African Expatriate*, *Black Perspective*, *Nigerian Trumpet*. Felgekleurde tassen en reproducties en batiks met primitieve afbeeldingen. Vitrines met snuisterijen en medailles en etnische sieraden. Afrikaanse drums. Grote en kleine beelden in de vorm van leeuwen en olifanten. Hoedjes en sjaals in rastakleuren. Versierde briefopeners die eruitzagen als messen, Paaseilandgezichten in de handvaten gekerfd.

De man achter de toonbank kuchte.

'Kan ik je ergens mee helpen?' riep hij naar me, met een sterk accent.

Ik mompelde iets over alleen wat rondkijken en liep vlug naar buiten, de absurde hitte in.

De maan komt achter een bloemkoolvormige wolk vandaan en haar supermaneschijn laat de kraai oplichten, een klein trolletje tiptop gekleed in pandjesjas met hoge hoed en wandelstok, zijn vleugels uitschuddend als jazzhanden en een tapdansje wagend op de weg.

Hij opent zijn bek en zingt:

'Who's that a-writing?'

IV

Het was een landelijke feestdag en er was disco in de rugbyclub. Jamey wilde met alle geweld de afronding van zijn examens vieren en stond erop dat ik meeging. Ik wachtte hem op bij de poort naar het clubterrein en keek naar de grote maan, die zijn gloed over de velden wierp, totdat hij eindelijk branieachtig aan kwam zetten en een of andere verontschuldiging mompelde.

We sloten ons aan bij de andere in schaduwen gehulde laatkomers die de pelgrimstocht over de lange oprijlaan naar de lichtjes van het clubhuis maakten. Uit het gebouw klonk de bonzende, dreunende baslijn van een nummer, steeds luider naarmate we dichterbij kwamen, trok ons naar zich toe als een baken.

'Ik waarschuw je alvast, het is een hol, dit,' zei Jamey. 'Hoop ruig volk en stoer gedoe.'

Het meisje bij de entree nam ons geld aan en de jongen in de garderobe scheurde lootjes van een rol, speldde ze vast aan de kraag van onze jassen en gaf ons het duplicaat samen met een paar maaltijdbonnen. We stapten de herrie en de hitte in. Discolichten flitsten en knipperden, stukjes licht kaatsten terug van de ronddraaiende discoballen en zwommen over de muren als scholen vis. De muziek was onverantwoord hard, er hing een zware bierlucht vermengd met zweet en een onderstroom van pis en ontsmettingsmiddel.

'Kijk even of je een plek kan vinden waar we kunnen zitten,' schreeuwde Jamey in mijn oor, vervolgens dook hij tussen de lichamen die drie rijen dik voor de bar stonden.

De ruimte had twee verschillende hoogten, de dansvloer en een loungegedeelte. De spiegelwanden waren beslagen en de vloer was plakkerig van de gemorste drank. Roosschilfertjes op de kleren van de mensen gloeiden op in het blacklight. Wurmende lichamen stootten elkaar met de ellebogen. Een kalende man met lang haar aan de achterkant en een vrouw in een gele jumpsuit dansten samen de twist. Een reusachtige Afrikaans uitziende vent stond voor de speakers, trok zich niets aan van het volume en liet zijn blik over de dansvloer gaan alsof hij een of andere rijke rapper was op zoek naar talent vanaf een onzichtbare plek. Zijn huid was zo zwart dat het bijna blauw was, kogelstoterschouders, armen als benen en een grote ronde borst geperst in een wit T-shirt, haar heel kortgeknipt. Meisjes lonkten naar hem alsof ze hem op wilden vreten en onwillekeurig voelde ik een steek van jaloezie en ontzag.

Ik vond een paar grijze klapstoeltjes en zette ze uit aan de rand van de dansvloer. Jamey kwam terug met een pint bier in elke hand en nog twee tussen zijn onderarmen en ribben geklemd. Hij zigzagde voorzichtig tussen de tafeltjes door, die vol stonden met glazen gevuld tot verschillende hoogten, als plastic bakjes die buiten waren gezet om de regen op te vangen, en zette de biertjes voorzichtig onder onze stoelen neer.

Mijn shirt plakte nu al tegen mijn onderrug. Ik pakte een glas en nam een paar flinke teugen, vertrok mijn gezicht bij de prikkerige bittere smaak van het bier en keek naar de dansers. Een man met een patserige jasje-met-stropdascombo aan deed de duckwalk. Jamey knikte naar een grote lompe vent met een vierkante kop, gekleed in shirt en sportbroek. Ondanks de hitte had hij een trui om zijn nek geknoopt. Autosleutels bungelden aan de ketting rond zijn middel als een talisman om meiden aan te trekken. Jameys knie pompte op en neer op de ritmes die uit de muziekinstallatie knalden.

'Wat vind je van deze muziek?' schreeuwde hij.

Een of andere hyperactieve dancetrack, zich herhalende beats, opgevoerde zang.

'Ik zei al, ik hou me niet zo bezig met muziek.'

Jamey trok zijn sceptische gezicht.

'Voor iemand die beweert dat hij niet geïnteresseerd is in muziek, heb je er anders verdacht veel aandacht voor.' Hij schudde meewarig zijn hoofd. 'Soms denk ik dat je hier gedropt bent door een capsule van Mars.'

Jamey had gelijk, maar ik kon niet uitleggen hoe ik me voelde. Muziek had op de een of andere manier iets gevaarlijks, vond ik. Ik had het gevoel alsof het mijn gezond verstand zou kunnen verpletteren als ik niet oppaste, me zou verzwelgen.

Zongebrande, bergbeklimmerachtige mannen stonden wat te hangen naast de dansvloer, armen over elkaar of handen in hun zakken, de activiteiten om hen heen gadeslaand als een groepje zielige zilverruggen. Meisjes dansten uitdagend en draaiden rond. Klungelige jongens probeerden hun aandacht te krijgen door opmerkingen te maken en gekke bekken te trekken en zogenaamde John Travoltapasjes te doen. Jamey trok zijn neus op, duidelijk niet onder de indruk van hun danskunsten.

'Is het je ooit opgevallen dat bekakte mensen niet kunnen dansen?' zei hij.

Ik gaf geen antwoord. Ik beschouwde Jameys familie ook altijd als een soort van kak.

Op een bankje in de hoek zat een vent met krukken. Zijn rechterbeen zat in het gips en zijn gezicht was mager en bedekt met een wilde rode baard. Uit zijn witte hemdje staken pezige armen grof getatoeëerd met Oost-Indische inkt en klemde een grote fles Smithwicks tussen zijn dijen. Zo nu en dan gebruikte hij een kruk om een rokje van de dansende meisjes op te lichten, die terugdeinsden en naar hem vloekten.

Ik stootte Jamey aan.

'Wie is die mankepoot?'

'Billy Dagg. Een onbeschoft stuk vreten.'

'Hoe komt ie aan dat been?'

''s Avonds in Donahue's een keer grof geworden.'

Er ging een soort loket open naast de bar, en binnen een paar tellen stond er een rij. Jamey gaf me zijn maaltijdbon.

'Het eten staat klaar,' zei hij. 'Ik heb voor de biertjes gezorgd.'

Ik wilde hem vragen waarom ze zo laat nog eten serveerden, maar ik wilde niet nog achterlijker overkomen dan ik al deed. Had vast iets te maken met de vergunning of zo. Ik pakte mijn biertje en liep vlug de dansvloer over om me aan te sluiten in de rij voor het luikje. De rij schuifelde op het raampje toe als aan elkaar geketende gevangenen. Iemand botste tegen mijn elleboog, bier vloog over mijn hand en pols. Ik draaide me om en zag de grote Afrikaans uitziende kerel boven me uittorenen.

'Gaat ie,' zei ik.

Hij knikte.

Ik vroeg me af of een van de meisjes me met hem zag praten en ze zouden denken dat ik bevriend met hem was en ook naar mij zouden lonken. We schuifelden nog een stukje naar voren.

'Zeg,' zei ik. 'Waar kom je eigenlijk vandaan?'

Hij negeerde me.

Eindelijk stond ik vooraan in de rij. Het meisje achter het luikje reikte me servetjes aan en plastic bestek en twee papieren bordjes met een lading kip en aardappelpuree. Ik droeg ze mee terug naar onze plek naast de dansvloer en gaf Jamey zijn bord.

De dj, een slungelige vent met een jaren zeventig voetballerskapsel, onderbrak de dansmuziek en zette een langzaam nummer op met een kerkorgelmelodie. De dansvloer liep leeg en werd onmiddellijk gevuld door stelletjes die dicht tegen elkaar aan begonnen te dansen en te zoenen en elkaar door de haren en over hun achterste wreven. Het langzame nummer werd gevolgd door een melodramatische ballade met een heel lange saxofoonsolo. Jamey zette zijn lege bordje onder de stoel en veegde zijn mond af.

'Johnnyboy,' riep hij in mijn oor, dat ervan ging piepen. 'Ben je al eens met een meid geweest?'

'Wat zeg je?'

Ik had hem uitstekend verstaan.

'Ben je al eens, je weet wel, je kwakje bij iemand kwijtgeraakt?'

'Nog niet.'

'Hoe oud ben je?'

'Vijftien.'

Hij keek me zijdelings aan en gebaarde om zich heen door de ruimte.

'Dan moeten we een of andere leuke chick voor je uitzoeken. Zit er niks voor je tussen?'

In mijn ogen zagen alle meiden er prima uit, maar er was één bijzonder mooi bleek meisje met rood haar, dat met haar vriendinnen aan een tafeltje zat.

'Die daar.'

Jamey volgde mijn gezichtslijn.

'O man,' zei hij, 'je zoekt ze wel uit, zeg. Dat is Rachel Cullen.'

'Mooie meid.'

Hij grijnsde.

'Allemaal oorlogskleuren. Ik heb een keer op een avond met haar geschuifeld en ze legde haar hoofd hier' – hij klopte op zijn schouder – 'tegen me aan. Volgende ochtend werd ik wakker, bleek de afdruk van haar gezicht op mijn goeie shirt te zitten. Het was net de lijkwade van Turijn.'

Ik merkte dat de alcohol begon aan te slaan, dat gevoel alsof je een krachtveld om je heen hebt, alsof ik de gave van tijdelijke onoverwinnelijkheid had.

'Kan me niet schelen,' zei ik. 'Ik ga haar vragen.'

Het tafeltje van het meisje was aan de andere kant van de lounge. Om er te komen moest ik een hindernisbaan van stoelen, tafels en voeten overbruggen. Het meisje zag me aankomen en brak haar gesprek af. Van dichtbij zag ze er nog beter uit. Haar vrienden staarden me aan alsof ze verwachtten dat ik van ballonnen dieren zou gaan staan draaien of zoiets.

'Heb je zin om te dansen?' vroeg ik, leunend over het tafeltje.

'Wat?' riep ze terug.

Haar vrienden wisselden een blik van verstandhouding uit en keken grinnikend in hun glazen.

'HEB JE ZIN –'

De muziek stopte.

'– OM TE DANSEN?'

Rachel Cullen deed haar hand voor haar mond en de vriendin links van haar kuchte '*engerd*' in haar vuist.

'Nee hoor,' zei Rachel. 'Ik ben al met iemand.'

De muziek begon weer. Ik mompelde iets vaags en smeerde 'm. Jamey stak mijn glas bier al uit.

'Afgekeurd?'

Ik probeerde nonchalant te doen.

'Je had gelijk. Van dichtbij zag ze niet zo goed uit.'

Jamey legde zijn arm om mijn schouder en boog naar me toe, vertrouwelijk.

'Maar zie je wat je verkeerd hebt gedaan?'

Alsof ik behoefte had aan een autopsie om de pijnlijke ervaring nog langer te laten duren.

'Je liep op haar af alsof je je schaamde voor jezelf. Volgende keer, schouders naar achteren en kin naar voren. Het heeft allemaal met houding te maken, man.'

'Ach nee,' zei ik, hoofdschuddend. 'Dat is het niet. Meisjes vinden me gewoon niks.'

Jamey gaf me een pets op mijn hoofd.

'Doe niet zo idioot. Tuurlijk wel.'

'Nee, echt niet. Ik heb een slechte naam in het dorp.'

'Waarom?'

Ik haalde diep adem. Het was nogal gênant, maar ik dacht dat als hij mijn vriend was, ik het hem wel kon vertellen.

'Nou,' zei ik, 'op een keer hadden we op school een vrije les. Iedereen was flesje draaien aan het spelen. Als de fles naar jou wees, moest je een of ander geheim vertellen. Toen het mijn beurt was, wist ik niet wat ik moest zeggen. Ik kon geen geheim bedenken, dus verzon ik er een.'

'Wat heb je dan gezegd?'

'Ik zei dat ik er stiekem naar verlangde om hem in een pot wormen te stoppen.'

Jamey proestte het uit.

'Dat meen je niet, man.'

Ik glimlachte een beetje.

'Jawel.'

'En heb je het ook gedaan?'

'Nee, ik wilde ze alleen maar choqueren. Binnen de kortste keren wist de hele school het. Al die meiden van het Mercy kwamen op straat steeds naar me toe om te vragen of het waar was. Ik zei gewoon ja. Dat was makkelijker dan alles uit te moeten leggen.'

'Tjongejonge,' zei Jamey. 'Een pot wormen.'

De langzame muziek was afgelopen. De dj zette iets op wat hard en boos klonk, en de stelletjes stoven uiteen alsof het een brandweeroefening was. Gozers met afgeknipte spijkerbroeken stormden de dansvloer op en speelden luchtgitaar en slingerden hun vette haar in de rondte.

We dronken onze biertjes op en Jamey ging er nog een paar halen. Het was zo heet dat ik het glas in één keer achteroversloeg, maar ik scheen er niet zatter van te worden. De dj draaide nog een aantal langzame nummers en één lang snel nummer en daarna het volkslied. Het licht ging aan en iedereen ging staan behalve Jamey, die onderuitgezakt op zijn stoel bleef zitten, de laatste restjes van zijn bier opslurpte en zijn vingernagels bestudeerde. Hij merkte dat ik naar hem staarde.

'Wat?' zei hij. 'Hartstikke stom nummer, man.'

Aan de andere kant van de dansvloer kwam Billy Dagg steunend op zijn krukken overeind. Hij bleef staan en keek ons dreigend aan.

'Jamey.'

'Ik zie hem wel. Maak je niet druk.'

Het volkslied eindigde met bekkengekletter. Billy Dagg hinkelde op ons af, zwarte ogen in lichterlaaie. Ik stond als aan de grond genageld te staren terwijl hij dichterbij kwam en recht voor Jamey ging staan.

'Er zijn een hoop mannen gestorven die veel beter waren dan jij zodat die muziek gespeeld kon worden,' zei hij, 'en het enige wat jij kunt doen is op je gat zitten en arrogant kijken, kleine lafbek.'

Jamey dronk zijn glas leeg en stond op.

'Kom, John,' zei hij.

We liepen vlug naar de hal, haalden onze jassen op uit de garderobe en liepen door de hoofdingang naar buiten. Billy Dagg versperde de weg. Het bier brandde in mijn maag. Alle uitsmijters waren binnen om de stelletjes weg te jagen die in een hoekje stonden te zoenen. We maakten een paar passen opzij, alsof we langs een valse hond probeerden te komen. Ik moest ontzettend pissen. De vingers van Billy Dagg om de beugels van zijn krukken werden wit en zijn bicepsen zwollen op.

'Als je maar weet dat ik jullie met één hand tot moes kan slaan,' grauwde hij, over de oprijlaan achter ons aan hobbelend, zijn krukken ritmisch over het grind ritselend.

Jamey stond stil en draaide zich om.

'Dat zou niet echt een eerlijk gevecht worden, Billy. We kunnen toch geen invalide slaan?'

Billy Dagg was snel voor iemand op krukken. Hij hield zichzelf met één kruk in balans en haalde met de andere uit naar Jamey, die het rubberen uiteinde in zijn handen pakte en stevig vasthield. Een paar tellen lang waren ze verwikkeld in een bizar soort touwtrekgevecht. Jamey riep naar me, met kalme stem.

'John, help 's even, man.'

Ik sprong op de andere kruk af en pakte hem beet. Billy Dagg vloekte en brulde. Het was een absurde situatie.

'Ik tel tot drie,' riep Jamey. 'Drie!'

Hij draaide aan zijn kruk en ik aan de mijne en we rukten eraan alsof we een gigantisch trekrotje uit elkaar trokken. Billy Dagg wiebelde even en viel voorover. Hij graaide in het grind, tierend en schuimbekkend probeerde hij overeind te krabbelen.

We maakten ons uit de voeten, renden de oprijlaan af tot we opgenomen werden door de warme nacht, duisternis als roet op onze huid, zwetend en ontnuchterd van angst, tot onze borst pijn deed en we moesten stoppen om op adem te komen.

Jamey boog voorover, handen op zijn knieën. Hij stond te hijgen als een oude man.

'Steken,' pufte hij. 'Even uitrusten. Heb je sigaretten bij je?'

Ik keek in het pakje.

'Eentje maar.'

We gaven de sigaret steeds aan elkaar door. Jamey bekeek de laatste paar rookbare millimeters.

'Ik ook nog een trekje,' zei ik.

Hij schudde zijn hoofd.

'We delen hem.' Hij bekeek het taps toelopende rode puntje van de sigaret en klopte voorzichtig de as af. 'Bek open.'

'Waarvoor?'

'Doe nou open.'

Hij nam een flinke trek van de sigaret, schoot hem weg, greep mijn hoofd en klemde zijn mond stevig op de mijne en blies de rook door mijn keel. Daarna zette hij zijn vingers onder mijn kin en duwde mijn gapende mond dicht.

Ik lag krom van het hoesten, uit alle gaten in mijn hoofd kwam rook.

'Dat heet een *blowback*,' zei hij, 'dan weet je dat voortaan.'

Hij ging weer verder.

We liepen door de nieuwbouwwijken die aan de rand van de stad uit de grond waren gestampt, grindpaden en keurig gemaaide gazons en veiligheidslampen, die aanknipten als we dichterbij kwamen en uitknipten als we voorbij waren. Algauw zagen de huizen eruit als hardboard replica's van zichzelf. Boven ons glinsterden jonge zomersterren in een onverklaarbare hemel.

'Ik heb alweer honger,' zei Jamey. 'Komt vast door de adrenaline.'

'Of misschien heb je wormen.'

Jamey rolde met zijn ogen.

'We kunnen bij mij iets eten,' zei ik. 'Geroosterd brood of zo.'

'Daar zou ik een moord voor kunnen doen. Hoe ver is het?'

'Tien minuten, kwartier.'

We liepen verder tot er steeds minder huizen stonden en er geen straatlampen meer waren. We sjokten door de zachte nacht tot we een dode vogel in de groene berm zagen liggen. Jamey boog voorover om hem eens goed te bekijken. Het was een uil. Zijn vleugels zaten onder het plakkerig uitziend bloed en zijn enorme speelgoedbeestenogen waren gesloten. Ik had nog nooit zulke zuivere, witte veren gezien.

'Jezus,' zei Jamey, en schudde zijn hoofd.

We liepen de laatste paar honderd meter naar mijn huis. Ik

haalde de sleutel onder de bloempot op het stoepje vandaan en maakte de deur open. Jamey ging aan de keukentafel zitten terwijl ik met de uiterste voorzichtigheid van een inbreker de waterkoker aanzette, brood roosterde en borden uit de kast pakte.

'Fuck, dit is het lekkerste wat ik ooit gegeten heb,' zei Jamey, kruimels in het rond spuwend.

Er klonken voetstappen, recht boven de keuken.

'Shit,' zei ik. 'Ze is wakker.'

Zware schoenen kwamen de trap af. Mijn moeder verscheen in de keukendeur, volledig aangekleed en klaarwakker. Ze was altijd al een lichte slaper.

'Ma,' zei ik opgewekt.

Ze nam het tafereel in zich op.

'Wie is die jongen.'

Jamey stond op en schudde mijn moeders hand.

'Jamey Corboy, mevrouw. Sorry dat we u wakker gemaakt hebben.'

Ze leek een beetje van haar stuk gebracht. Ik ook. Wat een goede manieren.

'Dat geeft niet, ik was toch van plan op te staan.'

Mijn moeder zette de waterkoker aan.

'Jullie zullen wel honger hebben.'

Jamey keek me met opgetrokken wenkbrauwen aan terwijl mijn moeder de koekenpan en een fles zonnebloemolie uit de kast pakte en het fornuis aanstak. Ze brak een paar eieren in de pan en deed nog wat brood in de rooster.

'Zeg, mevrouw D,' zei Jamey, met luide stem om boven het geknapper van de pan uit te komen.

Mevrouw D? Ik vormde de woorden zonder geluid terwijl ik hem aankeek.

Mijn moeder stak een spatel onder de eieren.

'Ja, Jamey.'

'U ziet er veel te jong uit om de moeder van John te zijn. U moet wel erg jong zijn geweest toen u hem kreeg.'

Mijn moeder keerde de eieren om, liet de olie door de pan draaien en keerde ze opnieuw om.

'O, ik heb hem gekregen toen het daar de juiste tijd voor was, hoor, eerder niet. John, dek jij even de tafel, jongen?'

Ik pakte het bestek, vermeed de blik van mijn moeder. Ze zette het eten op tafel en ging met een kopje thee in haar handen aan tafel zitten terwijl wij aten.

'Hoe gaat het met je vader en moeder, Jamey?' zei ze.

'Prima, dank u.'

Hij probeerde tegelijkertijd eieren naar binnen te schrokken en toch niet met zijn mond vol te spreken.

'En je broertje?'

'Heel goed. Beetje druk.'

'Maar je bent wel dol op hem, hè?'

Jamey glimlachte even.

'Dat kan ook moeilijk anders.'

Ik keek naar deze woordenwisseling als een toeschouwer bij een tenniswedstrijd. Mijn moeder nam een slokje thee.

'Hij gaat naar een speciale school, of niet?'

'Ja.'

'En dat bevalt hem goed?'

'Heel erg goed.'

'Da's mooi. Nog ei?'

'Nee, dank u, ik zit nokvol.'

Hij legde zijn mes en vork op zijn bord en klopte op zijn buik.

'Mevrouw D, de naam Devine past echt perfect bij u.'

'Hoezo?'

'Dat was goddelijk.'

Ze onderdrukte een glimlach.

'Zit me niet voor de gek te houden jij. Sigaret?'

Ze pakte haar pakje Silk Cut Blue en hield het hem voor. Ik kon mijn ogen niet geloven.

'Beter van niet eigenlijk, mevrouw D, maar vooruit. Dank u wel.'

Ze zaten te roken als twee oude vrienden, en toen Jamey zijn sigaret ophad, zei mijn moeder: 'Je moest nu maar 's naar huis gaan, jongen. Je vader en moeder maken zich vast ongerust als ze wakker worden en je bent er niet.'

Jamey knikte en schoof zijn stoel naar achteren.

'U heeft gelijk, mevrouw D. Dan ga ik maar 's.'

Hij klemde mijn moeders hand tussen de zijne en keek haar recht aan.

'Aangenaam kennis te maken.'

'Hetzelfde.'

Hij draaide zich naar mij.

'John, loop je een stukje met me mee zodat ik de weg terug kan vinden?'

Ik keek zijdelings naar mijn moeder. Ze zat nadenkend naar hem te kijken.

'Ma? Is dat goed?'

Ze schrok bijna.

'Prima, prima. Wel meteen terugkomen, hoor. Je moet naar bed anders kan ik je morgen niet gebruiken.'

We smeerden 'm via de voordeur en liepen snel de weg op. Koeien stonden doodstil in de wei alsof het vormboompjes waren. Jamey schraapte zijn keel.

'Dat was raar,' zei hij.

'Ze zat je echt aan te staren.'

'Dat merkte ik. Probeerde me de maat te nemen. Je bent haar grote lieveling.'

'Ach, kom.'

'Nee, echt. Enigkindsyndroom. Wacht maar tot je uit huis wilt gaan. Dan heb je de poppen aan het dansen.'

Hij stond stil en keek met de verbijsterde blik van een geboren stadskind om zich heen naar de velden.

'Van hieraf vind ik het denk ik wel. Ga jij maar terug.'

Ik bleef staan kijken tot hij door een bult in de weg uit het zicht verdween. Ik kon het effect van de drank en de sigaretten nog steeds door mijn longen, mijn aderen en mijn hersens voelen tollen. De achterkant van mijn oogballen schrijnde toen ik opkeek naar de hemel, naar de lang geleden gestorven sterren, en toen ik mijn ogen dichtdeed, bleven de lichtjes staan afgedrukt op de binnenkant van mijn oogleden, lotusvormen die uitbloeiden tot prachtige grote witte verschijningen.

Ik hoopte dat Jameys ouders vaste slapers waren.

Het was al bijna ochtend.

Uit de schaduwen van mijn kamer maakten zich vormen los. Een oud wijf met een doodskop en een perkamenten huid ontvouwde haar armen, verdorven als bramentakken, en kwam naar het voeteneind van mijn bed. Nagels zo lang als doorns klauwden de sprei van me af. Ik kon me niet bewegen. De kou kroop over mijn hele huid waardoor duizenden piepkleine tepeltjes ontstonden. Het oude wijf krabde met knoestige vingers aan mijn benen, heksentieten schuurden over mijn ballen, buik en borst. De reuk van haar adem, haar afgrijselijke gezicht, haar mond op de mijne geklemd, de stank, de verstikkende tong in mijn keel, die de lucht uit mijn longen zoog.

Toen ik wakker werd, vulde de te zoete stank van oude damesparfum mijn neus. Het rook naar insectenspray, overrijp fruit. Ik kroop naar de overloop en ging op de bovenste trede van de trap zitten luisteren. Beneden in de keuken klokte de thee uit de pot en kletterden kopjes op schoteltjes. Ik moest nodig naar de wc maar kon het niet laten om even te luistervinken.

'Ze nemen de stad helemaal over, Lily,' zei mevrouw Nagle. 'Kijk maar naar die methodistische kerk daar in Ballycarn.'

Mevrouw Nagle en mijn moeder schenen hun meningsverschil te hebben bijgelegd en tegenwoordig kwam ze weer geregeld op bezoek. Het was stapje voor stapje gegaan, met een roep vanaf de andere kant van de sloot, of een groet vanaf de straat als ze voorbijkwam, vervolgens vroeg ze of ze even bij ons mocht bellen of in de krant kon kijken en las dan met half dichtgeknepen ogen de koppen alsof ze een diep wantrouwen koesterde jegens het geschreven woord.

Meestal dook ze op als wij net zaten te eten. Volgens mijn moeder lokten de etensluchten haar uit haar hol. Ze maakte altijd een of andere opmerking over hoeveel ik was afgevallen en dat ik er zo wild en lijdzaam uitzag, dat ik vel over been was. Mijn moeder trok er zich niets van aan, gaf me alleen achter haar rug om af en toe een knipoog.

Mevrouw Nagle slurpte van haar thee en liet een *aaaaah* horen.

'Vroeger was daar 's zondags geen zondaar te bekennen,' zei ze, 'zo'n heel stil dorpskerkje. Tegenwoordig kun je er kennelijk geen plek meer vinden om te zitten. Mevrouw Tector van daarachter op de Holla had het erover, ze zegt dat je de deur 's zondags bijna niet binnen kunt met al hun gezang en getamboerijn en meer van dat blije gedoe. Als we niet oppassen, beginnen ze straks bij ons ook zo. God weet dat het nu al erg genoeg is met al die vreselijke volksmuziek in de mis.'

Mijn moeder schraapte haar keel. Ik kon haar bijna hóren meesmuilen.

'Het is allemaal heel anders sinds ze het Latijn hebben afgeschaft, Phyllis.'

'Daar gaat het niet om. Dit volk is nog erger dan de bootmensen destijds.'

De kraan liep.

'Hè Lily?' wilde ze weten. 'Vind je ook niet?'

Mevrouw Nagle kon de gedachte niet verdragen dat men het niet met haar eens was, maar mijn moeder liet zich niet uit de tent lokken, dus gooide ze het over een andere boeg.

'John kan het tegenwoordig goed vinden met die jonge Corboy, zo te zien,' zei ze. 'Zijn moeder is wel een mooi ding. Beetje... geaffecteerd, misschien.'

Nu was ik een en al oor. Ik sloop de trap af, zorgde ervoor dat ik de kraaktrede oversloeg.

'Ja,' zei mijn moeder.

Mevrouw Nagle nam mijn moeders onwelwillendheid verder uit te weiden als teken om door te gaan.

'Het is een rare snuiter, dat joch. Ik vraag me af of het niet een beetje een mietje is.

'Zo is het wel genoeg, Phyllis.'

'Je kunt tegenwoordig anders niet voorzichtig genoeg zijn als je een jonge jongen hebt, wil ik maar zeggen. Tegenwoordig gaat alles heel anders dan vroeger.'

Het gesprek viel stil en het leek alsof de lucht bijna sidderde van wat er ongezegd bleef. Toen zei mevrouw Nagle: 'Hoe gaat het eigenlijk met John zelf de laatste tijd?'

'Prima.'

'Weet je, er werd over die twee geroddeld in de stad.'

'Mensen roddelen nu eenmaal, Phyllis. Dat doen ze als ze niets beters hebben om zich mee bezig te houden. Dat weet jij ook.'

'Ja, nou, ik hoop dat dat onderkruipsel die John van jou niet verdorven heeft...'

'Phyllis – '

'... Hem in een moederskindje heeft veranderd of zo.'

Een hand kwam met een klap op tafel, de kopjes en schoteltjes rammelden.

'Genoeg met dat gewauwel, Phyllis. Met wie mijn zoon wil omgaan is zijn eigen zaak.'

'Ja maar Lily...'

'Ik meen het. Ga weg. Ik heb het helemaal gehad met jou vanmorgen.'

Een stoel schuurde.

'Goed,' zei mevrouw Nagle. 'Als je niet beleefd tegen me kunt zijn, dan blijf je maar alleen. God weet dat je daar wel aan gewend bent.'

Ze liep vlug de hal in en zag me op de trap zitten. Ze kneep haar ogen tot spleetjes. Ze liep haastig de deur uit en sloeg de deur achter zich dicht. Mijn moeder deed hem op de klink en keek twee keer toen ze me op de trap zag zitten.

'Heb je daar wat van gehoord?' vroeg ze.

Ik haalde mijn schouders op.

'Kon ik niet helpen.'

Ze rolde met haar ogen.

'Trek het je niet aan. Mevrouw Nagle prevelt meer dan alleen gebeden.'

Oude Kraai slaapt als een vleermuis, ondersteboven hangend met zijn klauwen om de verdorde tak van een dode els, en tijdens zijn slaap droomt hij. Hij droomt van duizend jaar geleden, toen een bende, dronken van honingwijn, Clonmacnoise plunderde en voor haar zonden werd gestraft met een pest die het hele land in een woestenij veranderde. Alles was bedekt met sneeuw, alle vogels, vissen en wilde dieren kwamen om van de kou. De bliksem sloeg in, de oogst mislukte en er vond een grote aardbeving plaats; vijf uur lang verscheen er een brandende torenspits in de lucht, waar zwermen zwarte vogels uit vlogen die midden in een stadje een hazewind oppakten en meevoerden, en in hun kielzog volgde de ergste veepest ooit.

V

Kerkklokken galmden door de stilte van de zondagmorgen, riepen de mensen van Kilcody op om naar de mis te komen. Jamey en zijn familie slenterden over de weg als een klucht rare vogels, Maurice voorop, een lange man met een kalend hoofd en een dun lichaam, afgezien van een bolle buik, die de knoopjes van zijn witte overhemd waarvan de mouwen waren opgerold onder spanning zette. Een halve pas achter hem liep Dee, gekleed in een soort broekpak, haar slappe blonde haar los over haar schouders. Jamey zelf zag er fantastisch uit in zijn grijze pantalon, zijn haar glad achterovergekamd met een of ander vettig goedje, Ollie aan zijn hand. Ze knarsten over de kiezels, Dee duwde de jongens zo ongeveer naar de deur terwijl ze probeerde gelijke tred met haar man te houden. Jamey bleef staan om de gekleurde steentjes die aan één kant van het pad waren uitgelegd nauwkeurig te bekijken. Hij tuurde even, zijn lippen spelden de letters die ermee geschreven stonden –

MERDE A DIEU

– en er trok een brede grijns over zijn gezicht. Dee beet hem toe dat hij door moest lopen, dus schopte hij de kiezelstenen met zijn schoen door elkaar en stampte de kerk in, waar het koor al was begonnen met het aanroepen van de moeder Gods.

Ik keek toe van tussen de grafzerken, gehurkt onder de grote granieten aartsengel, en grinnikte bij mezelf. Er viel een schaduw over de sokkel.

'Ik heb je wel in de gaten.'

Mevrouw Nagle doemde voor me op, drie meter lang. Het leek of haar voeten tien centimeter boven het gras zweefden, en haar vinger stak uit, de nagel overgroeid en krom als een tak. Ze trok haar arm in en week langzaam terug, haar schaduw ging met haar mee, ze bewoog achterwaarts alsof ze aan een draad zat, een optische truc, en glipte vervolgens de open mond van de kerk in.

'Wie deed de mis vandaag?' vroeg mijn moeder toen ze me binnen hoorde komen.

'Pastoor Quinn.'

'Heeft hij gepreekt?'

'Een week lang zowat.'

'Waar had hij het over?'

'Iets over dat het leven een minimarathon is. Kon er de helft niet van verstaan. Die man praat alsof hij kiespijn heeft.'

'Die pastoor. Niet die man.'

'Is een priester geen man dan?'

Ze overwoog een antwoord, maar bedacht zich.

'Wijsneus.'

Sinds haar operatie probeerde mijn moeder om de paar maanden de peuken op te geven, maar het verlangen bleek altijd sterker. Als ze gestopt was ging haar humeur met de dag achteruit en werd er niet veel beter op als ze weer begon. Ik liep richting de trap.

'Wacht even. Ga's zitten.'

Schoorvoetend trok ik een stoel naar me toe terwijl mijn moeder de tafella openrukte en er een boek uitpakte, dat ze over de tafel heen liet zeilen.

'Dat vond ik in je kamer.'

Ik keek naar het boek. Het was *Harpers Compendium* maar.

'Nou en?' zei ik. 'Dat heb ik al jaren.'

Ze pakte een sigaret, klopte hem aan tegen het pakje en wees ermee naar het boek.

'Dat weet ik en ik wil niet dat je het nog langer leest. Je bent al bijna een jongeman en je houdt je nog steeds bezig met wormen. Dat kan niet goed zijn.'

'Dat meen je niet.'

'Jawel. Je bent nog erger dan Cu Chulainn. Hij werd verwekt toen zijn moeder een worm inslikte, die in haar drinkbeker was gevallen. Ze viel in slaap en droomde dat Lugh van Long Hand voor haar verscheen. Hij zei tegen haar dat ze een jaar lang met hem mee moest komen. Toen ze terugkwam, werd Cu Chulainn geboren met een ring om zijn schedel. Niemand wist wat het was totdat hij tijdens een veldslag op zijn voorhoofd werd geslagen en er een made uit sprong. Dat is wat er met je gebeurt als je niet oppast.'

Ik probeerde het boek snel weg te graaien, maar mijn moeder was me voor. Ze griste het onder mijn vingertoppen vandaan en sloeg me ermee tegen mijn kaak.

Ik gaf een gil, meer van de schrik dan van de pijn.

'Waarom deed je dat?'

'Omdat je brutaal bent.'

De peuk in haar hand trok een spoor van rook toen ze door de keuken liep en de Bijbel onder haar leunstoel vandaan haalde en met een klap voor mijn neus op tafel legde.

'Je kunt veel beter dit lezen.'

Ik graaide de radio van het aanrecht en stormde de keuken uit.

'Het doet je heus geen kwaad,' riep ze me na terwijl ik de trap op stampte naar mijn kamer.

Ik zette de radio zo hard dat alles wat er los aan zat begon te ratelen. Algauw kwam mijn moeder vanwege de herrie naar boven, de deur vloog open, haar gezicht stond op onweer.

Haar blik dwaalde over de stapels boeken, de bergen stripboeken, de bundels papier en tekeningen, en ze schudde haar hoofd, alsof ze me geen toestemming gaf voor iets waarom ik niet had gevraagd.

'Je moet je kamer eens opruimen,' riep ze boven het radiogeschal uit. 'Het is een *ramp.*'

Ze deed de deur dicht en haar zware schoenen bonkten de trap af. Vlak daarna sloeg de voordeur dicht.

Toen ik wat was bekoeld sloop ik naar beneden. De bijbel lag nog steeds op dezelfde plek op tafel. Ik smeerde een boterham, maakte een kop thee en gebruikte hem als dienblad toen ik weer terug naar mijn kamer kroop. Ik ging op mijn buik op bed liggen en maakte de bijbel zomaar ergens open. De woorden gloeiden op van de pagina.

'Hoeveel te minder de mens die een made is, en des mensen kind, die een worm is!'

In de dagen daarna vroeg ik mijn moeder steeds weer wat ze met mijn boek had gedaan. Uiteindelijk bekende ze dat ze het had weggegooid. Ik stormde het huis uit en liep boos naar het dorp. Ik vroeg na bij de bibliotheek of ze een exemplaar voor me hadden, maar toen de bibliothecaresse het archief doorging, kon ze niets over een dergelijk boek vinden. Het was alsof het nooit had bestaan.

Buiten schroeide en borrelde het asfalt op de weg. De grond was zo heet dat ik hem door de rubberzolen van mijn gympen heen voelde stralen. Ik ging op weg naar de vuilnisbelt aan de rand van het dorp, ruim een halfuur lopen. Ik had besloten om al het afval door te kammen voor *Harpers Compendium.* De kans dat ik het zou vinden was een op een miljoen of nog erger, maar daar ging het eigenlijk niet om. Het ging erom me ervan te vergewissen dat het voor altijd weg was.

De zon brandde op de gele stoppelvelden. De blonde haren waren van de aarde geschoren en het hooi was verzameld in balen zo groot als karrenwielen. Tegen de tijd dat ik bij de vuilnisbelt aankwam droop ik van het zweet. De hele middag kamde ik de ene hoop afval na de andere door. Ik rommelde door plastic zakken vol met bedorven eten en vieze luiers en schuimbekertjes. Ik zocht tussen bergen zongebleekte kranten, kapotte radio's, videoapparaten en lange linten van videocassettes. Ik doorploos zielige, verregende knuffeldieren, gebarsten plastic viskommen, verrotte konijnenhokken bedekt met keutels, grote uitpuilende zakken in de vorm van heel erg dikke mensen. Tegen de tijd dat de zon onder begon te gaan was ik hondsmoe en dorstig en deden mijn armen en benen pijn.

De hoogste berg vuil bood een panoramisch uitzicht over het omliggende stortterrein en de kale velden erachter. Het heilige licht van de zonsondergang transformeerde de vuilnisbelt in een glinsterende religieuze stad, moskeeën, kathedralen en citadellen van afval, congregaties van ratten en katten en zeemeeuwen. Het deed er niet meer toe dat het boek kwijt was. Ik had het zo vaak gelezen dat ik hele stukken uit mijn hoofd kende. Had waarschijnlijk de hoofdstukken over parasieten rechtstreeks kunnen citeren. Ik ging in lotushouding boven op de piramide zitten en stelde me voor dat ik een of andere zenmeester of krijgsmonnik was. Een zeemeeuw cirkelde boven mijn hoofd, de puntjes van zijn vleugels beschreven mystieke kronkelingen en spiralen in de okeren lucht.

Ik ademde diep in, lokaliseerde het centrum van mezelf en riep naar de meeuw.

'Voor elk onafhankelijk wezen op aarde,' riep ik, 'zijn er vier parasieten. 1,4 miljard van de 6 miljard mensen heeft rondworm. 1 miljard heeft zweepworm. 1,3 miljard is besmet met haakwormen. In de darmen van een eend kunnen veertien verschillende soorten parasieten voorkomen.'

Ik kwam overeind en gebaarde naar de topografie van afval, die zich naar alle kanten uitspreidde, en riep opnieuw naar de rondcirkelende, aanstellerige meeuw.

'De lintworm is een plat dier zonder ogen of mond, dat in het darmkanaal leeft,' riep ik. 'Het kan een miljoen eitjes per dag leggen en twintig meter lang worden. Hij – of zij – bestaat uit duizenden segmentjes, elk met een mannelijk en vrouwelijk geslachtsorgaan. Omdat ze geen mond of maag bezitten, absorbeert de lintworm zijn voedsel via miljoenen kieuwen.'

Mijn borst zwol op en mijn blik waarde rond over de stortplaats, nam de gedeukte wasmachines en versleten leunstoelen, de in elkaar gezakte kartonnen dozen en kapotte paraplu's en afgedankte kleren in zich op. Schoenen. Heel veel schoenen, vervreemd van hun vroegere partners, bergafwaarts gegaan sinds de scheiding, gerafelde veters, uitstekende tongen. Een dekbed bevlekt met de contouren van landen die nooit bestaan hebben. Gebruikte condooms, klonters lichaamssap in rubberen tuitjes.

'Toxoplasma gondii,' riep ik, 'beter bekend als eitjes in kattenpoep, kunnen in een foetus dodelijk hersenletsel veroorzaken. Ratten getest met toxoplasma bleken vaak roekeloos gedrag te vertonen, zozeer zelfs dat ze zichzelf in levensgevaar brachten. Sommige mensen denken dat dezelfde aandoening bij mannen tot futloosheid leidt, en bij vrouwen tot uiterst sociaal en inschikkelijk gedrag.'

Ik ademde opnieuw diep in en spuugde de feiten uit als een menselijke computer.

'De guineawormen van Tanbura kunnen zestig centimeter lang worden en verlaten het lichaam door uit blaren te kruipen. Spoelwormen leven in de dikke darm en de endeldarm, en leggen 's nachts eitjes. Als je in je slaap aan je kont krabt, komen de eitjes onder je vingernagels terecht, zodat ze via je mond weer in je darmen uitkomen, uitkomen, en de hele cyclus weer opnieuw kan beginnen.'

Verspreid over de hele vuilnisbelt lag een enorme hoeveelheid weggegooid papier, rekeningen, brochures, fastfoodcoupons, aanbiedingen van creditcards, ontwerpen voor schuldconsolidatie.

'Als je alsmaar blijft eten,' riep ik, 'maar nooit een vol gevoel krijgt, heb je waarschijnlijk een parasiet die al het goede uit je eten haalt. Zo leiden parasieten tot ondergewicht en veroorzaken ze kwijlen, bedplassen, slapeloosheid en tandenknarsen. Jeuk in de oren, neus en allerlei andere kieren en spleten. Mensen kunnen niet meer naar de wc of moeten te vaak. Je huid wordt geel en je krijgt slijmvliesproblemen. Ze veroorzaken puistjes en hoofdpijn en bloed in de stoelgang. Impotentie. Darmgas. Moeheid. Depressie. Kaalheid. Stompzinnigheid.'

Ratten ritselden. Meeuwen krijsten. Ergens in de verte, het doorlopende oe-hoe-hoe van een hond. En het brommen van een motor die dichterbij kwam.

Ik tuurde over de velden. Het geluid van de motor zwol aan. Een wit Hiace-busje hobbelde over het karrenspoor en kwam vlak achter het hek tot stilstand. Een man stapte uit en begon door de veelkleurige afvalhopen te rommelen. Hij had een wijd zittende sportbroek aan, met een panty als riem, zijn buik puilde uit onder een shirt met korte mouwen, bedrukt met dobbelstenen en doodskoppen en waarop met vurige letters ROLL THEM BONES gedrukt stond.

Het was Har Farrell. Ik had hem sinds mijn tiende verjaardag, toen hij me de kruisboog had gegeven, niet meer gezien. Hij was nu vijf jaar ouder, moest ergens tegen de vijftig zijn, en hij was sindsdien behoorlijk dik geworden. Mijn moeder zei dat hij een poosje in Engeland was geweest, en toen hij terugkwam was hij gestopt met drinken en een heel nieuw mens geworden. Hij ruilde de Honda 50 in, kocht een busje en ging in video's handelen – porno volgens de roddels – waarna hij uitbreidde tot gesmokkelde nepdesignerspullen, massabestellingen van taxfree artikelen, spullen voor de zwarte markt.

Ik keek hoe hij door de autobanden en kapotte huishoudelijke apparaten snuffelde. Hij moet hebben gevoeld dat hij bespioneerd werd, want hij stopte met hamsteren en stak zijn kop omhoog als een stokstaartje. Toen hij me zag, sloeg hij een kruis.

'Jezus christus,' zei hij. 'Je laat me wel schrikken, knul.'

Zijn borstelige haar was vochtig. Hij zweette als een os.

'Je lijkt verdomme wel een geest uit de fles,' zei hij. 'Alleen de waterpijp ontbreekt eraan. Kom 's naar beneden, dan hoef ik niet zo te schreeuwen.'

Ik klauterde de vuilnishoop af en grijnsde.

'Hallo Har,' zei ik.

'Goeie God!' Hij zette een stap achteruit. 'John Devine! Wat een lange slungel ben jij geworden. De laatste keer dat ik je zag, was je nog maar zo'n ding. Hoe gaat het met je moeder, jongen? Ik heb haar al in geen eeuwigheid meer gezien. Sinds ik die televisie voor haar verpatst heb. Je was nog maar zo'n broekie.' Zijn opgebolde shirt schudde van ingehouden gegrinnik. 'God, daar was je niet zo blij mee.'

'Dat weet ik nog.' Ik pakte mijn sigaretten uit mijn jasje. 'Sigaret?'

Hij deed nog een halve stap terug en stak zijn hand op alsof hij het verkeer tegenhield.

'Ben gestopt,' zei hij. 'Slechte longen. Als je slim bent, doe jij dat ook. Verdomd moeilijk, hoor. Een hele maand verstopt. Aambeien op mijn reet zo groot als druiven. Maar mijn figuur heb ik kunnen behouden.'

Hij trok aan de panty om zijn middel.

'Wat ben je hier aan het doen?' zei ik.

'O, ik zoek gewoon naar van alles en nog wat. Dit is meestal echt een goudmijn. Wil je een mobieltje kopen?'

'Nee, dank je. Veranderen je hersens van in balkenbrij.'

'Ah.' Hij maakte een schimpend geluid. 'Dat zegt je moeder zeker.'

Hij spuugde zijn kauwgum in een stukje zilverpapier, stopte hem terug in zijn borstzakje, en met een zwierig gebaar haalde hij een kaartje tevoorschijn en gaf het aan mij.

Harry Farrell
Gevarieerde Goederen
'Als wij het niet hebben, bestaat het niet.'

'Als je iets nodig hebt, jongen, wat het ook is, het telefoonnummer staat achterop.'

Hij schoof het koffertje op de passagiersstoel, greep zich vast aan het stuurwiel en hees zichzelf het busje in.

'Zeg maar tegen je moeder dat ik naar haar gevraagd heb.'

Hij startte de motor. Ik zag hem wegrijden door de strook met roestende autowrakken en stukken vergeeld gras, als een afgezette plaats van delict die getuigde van een onlangs gepleegde autocide, en toen was hij weg.

Ik liep door de hooilanden naar huis, dwars door een driehoekig veld met een oude grafheuvel in het midden, een groepje dennenbomen omringd door een muur van uitgehakte stenen. Het gras was er lang en vergeeld. Ik was doodmoe van al het gezwoeg, dus ging ik op de grond liggen in de schaduw van de heuvel. Ik tuurde naar de rood kleurende hemel en even later kon ik nauwelijks nog zeggen of ik plat op de aarde lag of eronderaan hing, gemagnetiseerd door zwaartekracht. Ik sloot mijn ogen, maar de huid van mijn oogleden kon het licht van de ondergaande zon niet verduisteren, zwakte slechts de intensiteit ervan af. Mijn gedachten dwaalden, verdoofd door de hitte en de vermoeienis, stelden zich de wereld voor als een steen die over het oppervlak van de ruimte ketste, rimpelingen verspreidend door het hele universum. Of misschien was het een bal die in de onmetelijke blauwheid lag te dobberen. Een stofdeeltje dat zweefde door de met stuifmeel bezaaide hemel.

Door een ritselend geluid opende ik mijn ogen en kwam overeind, duizelig en verward. Toen de zonnevlekken wegtrokken, zag ik een grijze haas, nog geen tien meter van me vandaan. Hij bekeek me behoedzaam en begon toen een gat onder de muur van de grafheuvel door te graven. Langzaam en voorzichtig stond ik op, kroop als een grotbewoner op mijn hurken achter hem aan en klom de muur over de schaduwrijke binnenruimte in.

De scherpe geur van dennennaalden hing in de lucht. Dennenappels lagen verstrooid over de grond als granaten. De ruimte was klam en fris, overdekt door een rasterwerk van overhangende takken. Ik werkte me door het gebladerte heen en kwam op een open plek in het midden van de grafheuvel, waar de grond steil omhoogliep en een heuvel van leem vormde.

Plotseling kreeg ik het koud en wreef over mijn armen.

Boven op de heuvel lag een nest van doorntakjes en twijgjes. Ik beklom de helling om het beter te kunnen bekijken. In het nest lag één enkel zwart ei op een bedje van zwarte veren. Ik aaide met mijn vingers over het gladde oppervlak. Met een nat krakend geluid begon er zich een gekartelde rand af te tekenen op de schaal. Het ei brak uiteen en ik zag een glimp van een bloedbesmeurde huid, een enkel oog, ontstoken en tranend, en ik deinsde terug, verloor mijn houvast, gleed uit en tuimelde naar beneden. Boven me kraste en krijste er iets. Ik krabbelde overeind en maakte me uit de voeten, halsoverkop door het kreupelhout, doorntakken schramden mijn huid, kleren bebloed en gescheurd. Hoeven ploften achter me neer op de grond, hete adem in mijn nek. Ik sprong over de muur en stormde het veld over, zwarte vleugels doorkliefden de lucht achter me.

Lichtflitsen sneden door mijn oogleden. Ik opende ze. Mijn shirt was doorweekt van het zweet en ik voelde me helemaal slap van de hitte. Boven me keek de stervende zon dreigend naar beneden, een bloeddoorlopen cyclopenoog.

We hadden al zo lang vakantie dat de nieuwigheid ervanaf was. De radio bleef maar zeggen dat het de warmste zomer sinds lange tijd was, dat je al binnen twintig minuten kon verbranden. Het voelde overal alsof de centrale verwarming aanstond.

Dik ingesmeerd met mijn moeders zonnecrème, trof ik Jamey voor Donahue's. Hij leunde onderuitgezakt tegen de muur alsof hij poseerde voor een foto, één voet plat tegen de bakstenen, beklad met vervaagde swastika's van Tipp-Ex en Crasslogo's en H-Blockslogans.

'Zin om me te helpen dit uit te geven?' zei hij, wapperend met een stapeltje bankbiljetten.

Zijn familie bleek eerder die dag op vakantie te zijn gegaan en ze hadden hem de sleutels van het huis toevertrouwd. Dee maakte zich zorgen en toen zijn vader zijn rug had gekeerd had ze hem een handvol briefjes van twintig toegestopt 'voor noodgevallen'.

'Ik heb hier met iemand afgesproken,' zei hij. 'Drink er een met me terwijl ik wacht. Ik trakteer.'

We doken de kroeg in. Het bedompte halfduister en de verschaalde bierlucht waren een welkome verlichting na de brandende zon buiten. Een televisie schalde door de bar. Achter in het vertrek, op een podiumpje dat in een alkoof was gebouwd en eruitzag als de grot van een piepklein Kerstmannetje, sloot een man in een vrolijk shirt met korte mouwen een mandoline aan op een zoemende Peavey-versterker. Hij prutste met een krakend snoer en streek met een plectrum over de snaren. Het akkoord galmde, klonk bijna middeleeuws. Tevreden zette hij de versterker uit, het gebrom hield op en hij ging buiten op het achterterras even een sigaret roken.

Jamey bracht twee pinten bier naar ons zithoekje en zette ze op tafel.

'Met wie heb je afgesproken?'

'Gunter Prunty. Bikertype. Werkt in Waxon. Weet je nog toen ik je verteld heb over de peuken en drank die ik uit The Ginnet gejat had? Zijn idee.'

Ik begreep nooit waarom Jamey zich inliet met dit soort zaken. Hij kon echt de stomste dingen doen.

'Ik bleef op de uitkijk staan terwijl hij via het dakraam naar binnen klom,' zei hij. 'Ik kreeg een deel van de buit.'

We begonnen net aan ons tweede rondje toen de buitendeur openging. Zonlicht stroomde naar binnen en bescheen de ruggen van drie grote mannen in waxjassen en zware laarzen. De grootste van hen had uitgebreide bakkebaarden en een sikje en een te groot hoofd, als een sint-bernard. Zijn haar was opgekamd tot een soort vetkuif, taps toelopend in een aerodynamische spoiler in zijn nek.

'Als je over de duivel spreekt,' fluisterde Jamey.

Gunter liep met grote passen op de bar af, plaatste zijn ellebogen op de toog en zijn rechterlaars op de voetenrail. Hij was minstens twee meter lang. Alsof hij voelde dat hij werd aangestaard, keek hij scherp het vertrek rond. Zijn blik bleef steken bij ons tafeltje. Jamey hief zijn glas en knikte. Gunter knikte terug. Zijn vrienden gingen op een barkruk zitten.

'Die met dat staartje is Fintan,' zei Jamey, bijna zonder zijn lippen te bewegen. 'Hij werkt in de glasfabriek in Ballo. Die spitsmuisachtige gast met dat spijkerjasje is Davy. Lsd-slachtoffer. Heeft zijn verlengde merg verkloot.'

Gunter kocht een pint donker bier en nam een teug. Hij trok zijn flodderige spijkerbroek op en struinde op ons tafeltje af. Hij bewoog zich als iemand die de moeite had genomen om een heel nieuwe manier van lopen te bedenken. Je kon de impact voelen van elke stap van zijn motorlaarzen op de houten vloer.

Jamey maakte plaats op zijn bankje.

'Zeg, jongens,' zei Gunter, en zette zijn bier op het tafeltje. 'Vinden jullie het erg als we erbij komen zitten?'

Hij gebaarde naar de andere twee om naar hem toe te komen, zonder op een antwoord te wachten.

De muzikant kwam terug van het achterterras, hing zijn

mandoline om en tokkelde een melodietje. Hij sloot zijn ogen, zette zijn mond tegen de microfoon en begon te zingen met een nasale, schrille stem, die blikkerig klonk vanwege de speelgoed-PA.

'*Well, the cuckoo,*' hinnikte hij, '*she's a pretty bird, and she wobbles as she flies.*'

We zaten als een stel ruwharige beesten op een kluitje om de tafel in het zithoekje. Het was lastig om een gesprek op gang te houden, dus keken we naar de zanger tot hij weer pauze nam. Gunter kocht een rondje voor ons. Hij trok een lucifer tussen zijn tanden vandaan toen een van de barmeiden de biertjes neerzette.

'Zeg, Jay,' zei hij. 'Schrijf je nog wel 's van die langdradige verhalen?'

'Af en toe.'

'Vertel er 's een.'

'Wat, nu?'

'Ja. Een biertje krijg je nooit zomaar gratis, wist je dat niet?'

Ik kon me het conflict in Jameys hoofd wel voorstellen. Hij stelde het vast niet op prijs te worden behandeld als een of andere gedresseerde aap. Maar tegelijkertijd genoot hij van de belangstelling.

'Ken je dat verhaal over Philip Divilly?' zei hij nadat hij even had nagedacht.

Gunter nam een teug bier.

'Ken ik niet,' zei hij, het schuim van zijn lip vegend. 'Vertel.'

Jamey schraapte zijn keel.

'Een jaar of vijftig geleden werd Philip Divilly alom beschouwd als de beste tenor in het hele land. Mensen raakten altijd in een trance als ze naar zijn aria's luisterden. Vrouwen werden ter plekke verliefd op hem.'

Fintan tilde nors zijn hoofd op, een hond gestoord in zijn gedachten.

‘*Pishróg*,’ mompelde hij.

‘Ga door, jongen,’ zei Gunter tegen Jamey. ‘Trek je van hem maar niks aan.’

‘Nou,’ vervolgde Jamey, ‘dat vonden de mannen van Balinbagin maar niks. Dus gingen ze gezamenlijk naar een oude heks, die beroemd was vanwege het genezen van wratten en gordelroos en van die shit. Om een lang verhaal kort te maken, ze vroegen haar of ze een vloek op hem wilde leggen.’

Fintan trok zijn staartje strak en gaapte.

‘*Pish*,’ zei hij, ‘*róg*.’

‘Hou je bakkes, Fin,’ snauwde Gunter.

Jamey negeerde de onderbreking en vertelde verder.

‘Eerst weigerde ze,’ zei hij, ‘maar ze boden haar steeds meer geld tot ze niet langer kon weigeren en ze ging aan de slag met haar konijnenpoten en kommetjes melk en salamanderogen en kikkertenen en meer van die troep.’

Jamey ging steeds harder praten, kreeg vertrouwen in het verhaal. Zijn uitspraak was een nabootsing geworden van Gunters barse toon en ik vroeg me af of Gunter dat doorhad.

‘Op een dag werd Philip Divilly wakker en had hij geen stem meer. Alle jongens van Balinbagin waren dolblij. Maar ze maakten een grote fout. Toen het tijd was om de heks te betalen, wilden ze zich niet aan de deal houden en haar maar de helft geven van wat ze hadden afgesproken. Ze zei dat ze konden oprotten met hun centen en ging Philip Divilly opzoeken. Ze vertelde hem dat alle mannen van Balinbagin het op hem hadden gemunt. Nou, hij was laaiend. Hij zwoer wraak, en de heks wilde maar al te graag helpen. Ze zei dat hij bij de eerstkomende volle maan op het kruispunt moest gaan staan en klokslag middernacht moest beginnen te zingen. Deed er niet toe wat, als hij maar zijn mond opendeed.

Dus ging hij naar het kruispunt en toen het middernacht sloeg ademde hij heel diep in en weer uit en er stak een heftige wind op en de vonken vlogen als een vreugdevuur om hem heen, en een geest vloog zijn smoel in en hij veranderde van een man in een soort sater.'

'Wat is dat, een sater?' vroeg Gunter.

'Een demon. Weet je wel, net als een Ringgeest. Zijn gezicht rekte uit en hij kreeg een geitensik op zijn kin en hij werd vier meter lang en hij zag er totaal krankzinnig uit.'

'Net als Fintan zeker,' zei Gunter en gaf zijn vriend een kaakslag in slow motion. Fintan trok een gruwelijke karikatuur van een grijns, die onmiddellijk weer verdween. Jamey praatte verder, zijn stem zo onheilspellend als die van een priester die hel en verdoemenis preekt.

'Hij nam op een afschuwelijke manier wraak op de mannen van Balinbagin. Hij brak bij hen in terwijl ze sliepen en sneed hun keel door en trok hun tong uit en vrat hun hart op en dronk hun bloed.'

Hij stopte even om adem te halen en een slok bier te drinken en ging toen verder.

'Hij waart nog altijd 's nachts rond en iedereen die zijn stem hoort valt in slaap. En dan haalt hij een kapmes tevoorschijn en snijdt hun keel door en zet zijn mond op de wond en zuigt hun ziel via de luchtpijp naar buiten. Hij bewaart alle zielen in zijn zak en elke Halloween verkoopt hij er een aan Old Nick in ruil voor nog een jaar op aarde.

Ze zeggen dat als je 's avonds in de zomer je oor tegen de grond houdt je zijn laarzen kunt horen op de weg, waar in het land hij ook is, en de enige manier om je tegen hem te beschermen is om luidkeels te zingen zodat je zijn magische aria's niet kunt horen.'

Jamey nam nog een slok bier, ging achteroverzitten en sloeg zijn armen over elkaar.

'Was het dat?' vroeg Gunter.

'Dat was het.'

De muzikant in de hoek begon zijn mandoline te stemmen voor het volgende liedje.

Gunter zei: 'Waarom vertel jij nooit van dat soort verhalen, Fintan?'

Fintan haalde zijn schouders op en zei: 'Ken je dat verhaal van Sneeuwwitje en Pinochio?'

'Dat is me tot dusver bespaard gebleven, geloof ik,' zei Gunter.

'Nou,' vervolgde Fintan. 'Sneeuwwitje zit op het gezicht van Pinochio en kreunt lieg-lieg niet-lieg-lieg niet-lieg-lieg niet.'

Gunter kakelde van het lachen en gooide nog meer bier achterover.

Er hing een slechte sfeer in het vertrek, smerig en benauwd. Het bier smaakte op de een of andere manier opeens heel zuur. Stofdeeltjes dansten in de zuilen licht die door het raam schenen; alles was amberkleurig geworden. Ik stond op.

'Wat is er?' zei Gunter. 'Bevalt het gezelschap je niet?'

'Ik moet maar eens gaan,' zei ik. 'Ik zie je later wel, Jamey.'

Jamey knikte, maar wilde me niet aankijken, slechts een vlugge zijdelingse blik, alsof ik iets gezien had wat ik niet had moeten zien.

'Later,' was het enige wat hij zei.

Op weg naar huis kwam de volle maan op in een met schapenwolkjes bedekte hemel, alcohol zoemde door mijn hoofd als achtergrondgeruis.

Mijn moeder zat aan de keukentafel. Voor haar stonden een fles Powers en een glas, in de schelpasbak lag een Silk Cut Blue te branden. Een vetkaars droop op een schoteltje, het aquariumlicht ervan speelde over haar gezicht.

'Je eten staat in de oven,' zei ze, op langzame, bezonnen toon. Ik hing mijn jas over de rug van een stoel.

'Alles goed?'

Er flikkerde iets in haar ogen. Ik wist niet wat precies. Ze wreef over haar gezicht.

'Ik ben vandaag bij de dokter geweest voor controle.'
'Hoe is 't gegaan?'
Ze keek weg.
'Zelfde als altijd. Stoppen met roken. Meer fruit eten.'
Ik wees met mijn kin op de fles.
'Ik dacht dat je geheelonthouder was.'
'Dat was ik ook. Nu niet meer.'
Ze nam een slokje van haar glas en hoestte.
'Kom, drink er eentje met me.'
Haar stoel schuurde over de vloer toen ze opstond, ze pakte een glas van het afdruiprek en goot er whisky in. Ze zette het glas uitdagend voor me neer.
'Toe dan,' zei ze. 'Maak me niet wijs dat je je gelofte nooit verbroken hebt. Ik kan het bier van hieraf ruiken.'
Ik nam het glas aan en nam een slokje, me ervan bewust dat ze me in de gaten hield. Onbekend terrein. Whisky brandde zich een weg naar mijn maag. Ze bood me een sigaret aan. Weer aarzelde ik.
'Ach, neem er toch een,' snauwde ze. 'En ga in godsnaam zitten. Ik word zenuwachtig van je zoals je daar staat te staan.'
Ik hield mijn haar weg van de kaarsvlam en stak de sigaret aan. Mijn moeder staarde uit het raam en dacht een ogenblik na over wat het ook was dat ze daarbuiten zag. Toen ze weer sprak klonk haar stem zachter.
'Ik zat net te denken over de tijd dat ik voor het eerst op reis ging.'
Ik pakte een stoel en nipte van de whisky. Het warme gevoel in mijn maag beviel me, wrang maar enigszins geruststellend. De kaars wierp schaduwen in de vorm van jiujitsufiguren op de muren.
'Waarheen?' vroeg ik.
'Engeland. Schotland. Ik ging achter een man aan.'
Ik keek naar de tafel, een beetje verlegen. Ze nam een trekje van haar sigaret en gnuifde door haar neus.

'Een muzikant ook nog.' Ze schudde haar hoofd, bijna glimlachend. 'We hadden elkaar ontmoet op zo'n demonstratie in de haven van Ballo, die wel vaker gehouden werden, toen ze van plan waren om een krachtcentrale of zoiets te bouwen. Het was een soort festival.'

Ze sprak alsof ik er niet was. Ze staarde naar de vage schaduwen van de bomen.

'Zijn band bivakkeerde die avond aan de andere kant van de boulevard,' zei ze. 'Ze zaten de hele nacht rond het kampvuur muziek te maken als een stel zigeuners. Ik bleef luisteren tot de zon opkwam. Ik kreeg ruzie omdat ik zo laat thuiskwam, maar dat kon me niet schelen. Ik was een volwassen vrouw. Mijn broers hadden me thuis achtergelaten om voor mijn vader en moeder te zorgen, als een ouwe vrijster. Maar die avond werd er een verlangen in me gewekt. Ik had vast iets van een zwerver in mijn bloed. De avond voordat ze terug zouden gaan naar Engeland vroegen ze of ik met hen mee wilde gaan. Ik zei ja. Ik was nog nooit in mijn leven het land uit geweest.'

'En ben je meegegaan?'

'Ja, inderdaad.'

Ze keek weer naar het raam, alsof er iets te lezen stond in de condens.

'We reisden die zomer door heel Engeland. Als we een beetje geld hadden, sliepen we in een B&B. Als we blut waren, hokten we met z'n allen in het busje en sliepen op grote vierkante stukken schuimrubber. Of als het mooi weer was, buiten.

Ze zweeg even en tilde de fles op om onze glazen bij te vullen, morste een beetje op de tafel. Ze veegde de druppels weg met de mouw van haar vest.

'Het was me nogal een stel, zeg. Allemaal jonge jongens. De vloek van gelukkig zijn, John, is dat je het nooit op dat moment beseft. Zodra je dat doet, is het voorbij.'

Ze draaide haar glas rond, alsof ze probeerde te bepalen wat de essentie van de vloeistof was, en sloeg een slok achterover alsof het water was.

'Tegen het eind van de zomer reden we helemaal naar de Schotse Hooglanden. Zijn familie had daar een boerderijtje in de buurt van een klein dorpje in het noordoosten. Hij had een rijke achtergrond, geloof ik.'

'Hoe heette hij?'

'Dat hoef je niet te weten.'

Ze keek onder haar wenkbrauwen vandaan en slaakte een zucht.

'Je bent genoemd naar een oude hymne, die ik van hem geleerd had. Als baby wilde je niet slapen. Op een avond was er een stormwaarschuwing op de radio, en ik werd bang, en ik zong om je te troosten. Een oud religieus wijsje.'

'Wat voor liedje?'

'"John the Revelator"'

Ze nam een slokje whisky, haar gezicht een en al concentratie. En ze begon te zingen.

'*Who's that a-writing? John the Revelator.*'

Haar stem klonk hees en schor, maar sterk.

'*John the Revelator wrote the book of the seven seals.*'

Ze veegde haar mond af met haar mouw en nam een slok.

'Het werkte,' zei ze. 'Je viel ervan in slaap. Dus noemde ik je John.'

Ze drukte haar sigaret uit in de uitpuilende asbak.

'Het plan was om ons te installeren in de boerderij en een opname te maken van zijn liedjes. Hij was handig met apparatuur. Haalde versterkers uit elkaar en zette ze ook weer in elkaar, met alleen een tang en een soldeerbout en een rol plakband.'

Ze nam een nieuwe sigaret uit het pakje en stak hem aan.

'We reisden door het heuvelachtige landschap. Alleen maar bergen en bossen en whiskystokerijen. Het was vlak bij de kust. Hij zei dat het een heilige plek was en dat mensen daar vroeger waren gaan wonen vanwege het soort aarde. Het land was er vruchtbaarder dan waar ook in Schotland. De kolen waren beroemd, enorme kanjers.

Toen we die avond om tien uur aankwamen was het nog licht. De boerderij zag eruit als het laatste wat God gemaakt had. Een lange oprijlaan liep vanaf de weg naar een groot stenen huis en een paar stallen en een schuur. In het hoofdgebouw stond een oude ronde kachel en een zwart-wittelevisie, maar de ontvangst was slecht vanwege de bergen.

Ze zetten hun apparatuur op in een van de stallen, en de jongens speelden altijd de hele avond door en gingen laat naar bed. Ik was verantwoordelijk voor het eten. Af en toe stoof er iemand weg met het busje en kwam terug met kratten vol drank. Er werd veel gedronken. Maar na een paar weken begonnen de jongens zich te vervelen, daar in de bushbush, zo dicht op elkaar. Al die drank maakte het er niet beter op. Er waren ruzies. En hij nam van die pillen waardoor hij wakker bleef zodat hij door kon werken. De elpee, dat was het enige waar hij het over had.

Een paar van de jongens gingen liever weer op tournee om geld te verdienen, maar hij wilde per se afmaken waar hij aan begonnen was. Hij was vaak misselijk van de pillen en de drank. Hij raakte zeven, acht kilo kwijt, en hij was sowieso al vel over been.

Toen ging de kachel stuk, en het brandhout raakte op en we begonnen het meubilair als aanmaakhout te gebruiken. De jongens taaiden een voor een af, terug naar Glasgow of Londen. Dus nu waren alleen hij en ik er nog en een stuk of twee achterblijvers. Ze gingen om de paar dagen het dorp in om een paar centen te verdienen door op straat muziek te maken of karweitjes te doen. Maar het begon allemaal uit elkaar te vallen. Hij begon heel raar te doen.'

Haar haar viel in haar gezicht. Ze duwde de losse strengen achter haar oren.

'Keerde helemaal in zichzelf. En op een avond zag hij een of ander programma op tv waar hij nachtmerries van kreeg.'

'Nachtmerries?'

'Ja.'

'Zoals die ik had?'

Ze staarde me aan. Haar pupillen waren enorm.

'Hij draaide door. Hij maakte me 's nachts een keer wakker en zei dat er een kernoorlog uit zou breken waardoor bijna alle mensen uitgeroeid zouden worden en degenen die overleefden zouden alleen eten of spullen kunnen kopen als ze een teken op hun handen of op hun voorhoofd hadden. Hij zei dat het allemaal voorspeld was in de Bijbel, als je goed keek wat er stond.

Dat was de laatste druppel voor de achterblijvers. Ze zeiden dat ze muziek waren gaan maken om aan dat soort onzin te ontsnappen. Op een avond toen hij in de stal zat met zijn koptelefoon op, zag ik hoe de laatste twee jongens hun spullen in het busje laadden. Ze smeekten me om met hen mee te gaan, maar ik wilde niet.'

'Waarom niet?'

'Ik kon het gewoon niet. Ik dacht dat alles beter zou worden als het lente werd. Maar dat was niet zo. Het werd alleen maar erger. Hij scheurde een hoop vuilniszakken open en hing ze over de ramen. Hij zei dat de straaljagers die overvlogen door een vliegbasis gestuurd werden om ons te bespioneren omdat wij de waarheid wisten. Dat de regering in handen was van de antichrist. Later veranderde hij van gedachten en zei dat de piloten van de vliegtuigen engelen waren, die werden gestuurd om ons te beschermen. Daarna besloot hij dat de Derde Wereldoorlog al voorbij was en dat de vliegtuigen van op afstand bestuurd werden en er mensen van de regering in zaten, en dat ze boven aarde zouden blijven bijtanken tot het veilig was om te landen. Hij waarschuwde dat ik niet van de boerderij af moest gaan want anders kon ik niet terugkomen omdat ik vergiftigd zou zijn door de straling.'

'En jij geloofde hem?'

'Ik wist niet meer wat ik moest geloven. Als je opgesloten zit met een ziek iemand, John, raak je de grip op de werkelijkheid kwijt. Het is net als wanneer je een bos in loopt, en je zo ver van het pad afdwaalt dat je door de bomen het bos niet meer ziet. Je weet niet eens waar je moet beginnen om de weg terug te vinden.

Maar goed, op een avond was hij zo scheel van het gebrek aan slaap dat hij per ongeluk een hele band uitwiste, weken werk, en hij kwam de kamer in en begon met spullen te smijten. Hij duwde de tafel omver en er viel een glas stuk, dat bijna in mijn blote voet sneed. Toen ik tegen hem zei dat hij moest bedaren tilde hij zijn hand op alsof hij me wilde slaan. Op dat moment besloot ik om te vertrekken. Zo niet voor mezelf, dan wel voor de baby.

Ik was ongeveer tien weken zwanger. Ik was bang dat als hij zou zien dat ik een dikke buik had, hij me nooit zou laten gaan. Hij verkeerde in zo'n toestand dat hij zou hebben gedacht dat ik Onze-Lieve-Heer ter wereld ging brengen.'

Ze rilde even en trok haar vest dicht om haar schouders.

'Toen ik besefte in wat voor situatie ik me bevond, pakte ik mijn tas in en wachtte op het juiste moment om te gaan. Op een avond viel hij in slaap nadat hij bijna drie dagen achter elkaar doorgewerkt had, dus ik pakte het beetje geld dat er was en glipte de deur uit en rende de oprijlaan af. Mijn hart bonkte. Ik probeerde niet te diep in te ademen voor het geval ik giftige gassen zou binnenkrijgen. Ik snoof of ik brandlucht kon ruiken en keek naar de hemel om te zien of de wereld overdekt was met stofwolken. Een eeuwigheid lang kwam ik niemand tegen en ik begon me af te vragen of de hele wereld misschien dood was. Toen zag ik een man op de weg lopen, en één helft van zijn gezicht was helemaal paars van een of andere huiduitslag. Ik kon het niet laten ernaar te staren. Ik vroeg hem of dat door de fall-out kwam, en hij zei nee hoor, dat heb ik mijn hele leven al, het is gewoon een moedervlek.

Ik overnachtte in het dorp en de volgende dag liftte ik naar het zuiden. Ik werkte een paar weken lang in een supermarkt in Edinburgh. Ik moest de hele tijd aan hem denken en vroeg me af of hij achter me aan zou komen. Om je heel eerlijk de waarheid te zeggen, was ik kwaad toen hij dat niet deed. En ik was boos op mezelf en zwoer dat ik nooit meer een man zou vertrouwen.'

Haar gezicht zag eruit alsof het elk moment in tientallen stukjes uiteen kon barsten.

'Ik spaarde mijn geld tot ik genoeg had om naar huis te gaan. Toen ik terug was werd de deur voor mijn neus dichtgegooid. Stond ik daar opeens met een dikke buik nadat ik maandenlang niks van me had laten horen. Ik was bang. Ik wist helemaal niets over het baren van kinderen. Dus nam ik een baantje als schoonmaakster in het hotel bij het strand. Daar ontmoette ik Phyllis Nagle. Ze was nogal een raar mens, maar ze was de enige die me wilde helpen. Ik vertelde haar in wat voor lastig parket ik zat en ze zei dat ze me uit de brand zou helpen en vond een caravan die ik kon huren. Ik werkte tot ik niet meer kon. En toen het zover was, kreeg ik jou. Jij was mijn redding.'

Ze drukte haar sigaret uit en knikte, alsof ze het helemaal met zichzelf eens was.

'Als je een kind krijgt, John, verandert er iets in je. Je bent nooit meer vrij van zorgen. Maar je bent ook nooit meer eenzaam.'

Ondertussen was het donker buiten. De maan was groot en rood. Ik dronk mijn glas leeg.

'Waarom vertel je me dit allemaal nu?'

Ze trok haar vest recht.

'Omdat je oud genoeg bent om het te weten. En omdat niemand weet hoeveel tijd er nog over is.'

Ze schonk ons allebei nog een glas in.

'Als je eenmaal zo oud bent als ik, hebben geheimen geen nut meer.'

Ik wankelde de avondlucht in, fles Hennessy in mijn hand, de oude hymne brandde in mijn hoofd en de weg slingerde voor me uit als de vloer van een spiegelpaleis. Zodra mijn moeder naar bed was gegaan had ik Jamey opgebeld.

'Wat is er?' vroeg hij.

'Te opgefokt om te slapen. Heb je tijd?'

Hij stelde voor om elkaar op de weg naar het dorp te treffen. Hij klonk dronken. Was ik dus niet de enige.

Het was al ver na middernacht, misschien tegen tweeën. Onderweg zong ik wat ik me kon herinneren van mijn moeders liedje om niet bang te worden. De volle maan brandde in haar omringende veld van vreemd getinte concentrische cirkels, hing als een gigantische ballon vastgeknoopt aan de kerktoren. Het licht dat ze uitstraalde was helder genoeg om Jamey een halve kilometer verderop te zien aankomen. Hij had een sporttas bij zich. Een paar meter van elkaar af stonden we stil, als duellisten klaar om het wapen te trekken.

'Wat was je daar aan het zingen?' zei hij, een beetje lallend.

'Mijn titelnummer,' zei ik. '"John the Revelator".'

Jameys kleren waren verkreukeld en zijn haar zat in de war.

'Je ziet er behoorlijk naar de klote uit,' zei ik. 'Waar ben je geweest?'

De uitdrukking op zijn gezicht was bijna schaapachtig.

'Ik probeerde Gunter bij te houden.'

Het was een erezaak voor Jamey zich niet onder de tafel te laten drinken. Hij wreef over zijn holle wangen en schudde zijn hoofd.

'Ik heb dingen gehoord man,' zei hij. 'Echt eng. Die jongens gaan me net iets te ver, geloof ik.'

'Wat voor dingen?'

'Dat kun je maar beter niet weten.'

Ik nam een teug whisky en gaf de fles door aan Jamey.

'Jezus,' zei hij. 'Waar heb je dat vandaan?'

'Mijn moeder.'

'Je moeder is een geweldige vrouw.'

Hij nam een slok, hief de fles als toost en gaf hem terug, vervolgens ritste hij de sporttas open en haalde er een gehavend uitziende camcorder uit.

'Dit vond ik in de Superstores.' Hij prutste met het lenskapje. 'Tweedehands, maar hij doet het prima.'

Hij hield de camera voor zijn oog, gleed ermee over de velden. Het voelde alsof we de eerste kolonisten waren van een of andere verafgelegen, eenzame planeet.

'Kom, we gaan een stuk wandelen,' zei hij. 'Ik wil wat opnames maken voor mijn film.'

Nu was hij filmmaker.

'Het wordt een hoe-noem-je-dat,' zei hij. 'Een biopic. Speel jij Verlaine. Dan ben ik Rimbaud. We noemen het *Merde A Dieu.*'

'Ik wil Rimbaud zijn.'

'Nee, man,' zei hij. 'Jij bent John the Revelator.'

We slenterden een hele tijd door de buitenwijken van Kilcody, Jamey filmde alles wat hij interessant vond, echt alles dus, en toen onze voeten zeer begonnen te doen, stopten we om te roken en de whiskyfles door te geven tot hij leeg was. Het maanlicht was zo sterk dat het net een *tractor beam* leek, die ons zo van de aarde zou kunnen zuigen. Ik stapte in de berm om de lege fles over een greppel te gooien waarbij ik iets aan mijn gympen kreeg. Ik stond als een ooievaar op de weg en huppelde een beetje rond. Mijn veters hadden groene vlekken van het gras. De geribbelde rubberzool zat helemaal onder een tapioca-achtige substantie.

'Koeienstront?' zei Jamey.

'Kikkerdril.'

Ik veegde het af aan het gras, bleef maar met moeite overeind. Ik was nog nooit zo dronken geweest. We sloften naar het dorp.

'Wat nu?' zei ik toen we op het plein kwamen.

'We zouden naar mijn huis kunnen gaan,' zei Jamey. 'Daar is verder niemand.'

Ik wees naar de kerk.

'Of we zouden wat interieurs kunnen filmen.' De woorden voelden vreemd aan in mijn mond. Ik moest me concentreren om ze er in de juiste vorm uit te laten komen. 'Je kunt geen film hebben met de titel *Merde A Dieu* zonder wat Jezusactie.'

Ik begon het plein over te steken. Jamey draafde achter me aan.

'Wacht even,' riep hij. Ik negeerde hem en pakte de gietijzeren tralies van het hek om de kerk vast en trok mezelf eroverheen. Hij tuurde door de tralies terwijl ik de schilfertjes roestige verf van mijn handen klapte.

'Hoe moeten we binnenkomen?' zei hij.

'Misschien kunnen we het slot forceren.' Plotseling leek het belangrijk. 'Lukt vast wel.'

Jamey staarde me zodanig aan dat ik mijn gezicht gereflecteerd kon zien in zijn irissen, zoals hij het zijne in de mijne waarschijnlijk, spiegelende ogen die afbeeldingen van elkaar repliceren tot in de eeuwigheid.

Jezus laat me Uw nachtmerrie niet zien, ik laat U de mijne zien.

De mond van de kerk gaat open en de duisternis zuigt me naar binnen. Mijn blote voeten laten hittesporen achter op de koude plavuizen. De zachtste geluiden worden versterkt en echoën onder het gewelfde plafond. Stenen heiligen draaien hun hoofd, maanlicht straalt door de glas-in-loodramen.

Deze donkere crypte is vergeven van muffe schaduwen en opgesloten gefluister. Er groeien haren uit de zwetende muren en het wijwaterbakje borrelt over, bolletjes kwik glibberen over de vloer. Ik nader het altaar, stap voor stap, echo voor echo. De kruiswegstaties ontvouwen zich aan beide kanten als veertien frames van een vreemde snuffmovie.

Ik sta stil bij de reling voor het altaar en til mijn hoofd op.

Onder het INRI *hangt Christus slap aan het kruis, hoofd weggedraaid als om de kus van een stalker te vermijden. Het uitgemergelde lichaam van een supermodel, lumineus in het glas-in-loodlicht.*

Of het ontbreken ervan.

Ik moet kokhalzen van de stilte.

Leg uw hand op mijn borst, voel hoe de geur mijn longen vult als griep. Hij is overal. De wierook slaapt tegen de dakspanten van de kerk als gas. Je kunt het opstijgende vocht proeven, de schimmel ruiken, de kilte voelen, de nevel zien, de druppels horen druipen. Iets slechters dan wierook vult mijn longen en ik adem het in en een gaslekgefluister sist door de kerk. De stank wordt dik, brandt mijn keel.

(Heer ik ben niet waardig dat Gij tot mij komt.)

De ogen van Christus gloeien rood op en doorboren me.

(Vader, vergeef me.)

Merde A Dieu.

(Waar bent U?)

Eloi, eloi sabacthani.

(Ka? Ka?)

Heb ik U misdaan?

Een vinger op zijn lippen.

Shhh.

Horen, zien en zwijgen.

(Vader, vergeef me dat ik gezondigd heb. Het is lang geleden dat ik voor het laatst heb gebiecht.)

En nu luidt de kerkklok, het Heilig Hart brandt. God zit op zijn troon en de wereld is verloren. Engelen houden de vier winden tegen. Het tabernakel is opengebroken. Het einde van de wereld is nabij. Het zevende zegel is verbroken en heel de hemel zal een halfuur lang zwijgen. De geur stijgt op, stolt het speeksel in mijn mond, de minzame hostiesmaak op mijn tong. En mijn vingerafdrukken zitten overal op, een genetische smet, een biecht die niet herroepen kan worden. Pijn doorklieft mijn maag. Gal stijgt op in mijn keel. Kleren scheuren aan flarden en vallen van me af en ik ben naakt.

Herrie barst los.

Het dak zakt in.

Sterren vliegen naar buiten.

Regen gutst naar binnen en vormt plasjes in de gaten in de kapotte vloer, het water stijgt, verspreidt zich, de vloer trekt krom door het gewicht. Het wordt zo snel koud dat het water bevriest.

Onder het ijs: gezichten.
Mijn gezicht.
Ik draai me om en ren weg.
Mijn voeten smelten het ijs; tongen likken aan mijn voeten.
Het ijs breekt, de vloer zakt weg en ik val in een put vol monden.
En val en blijf vallen door de monden, door de tongen.
Ik raak de vloer.
De vloer zakt weg.
Ik val opnieuw.
Ik raak de bodem, een kapotte pop in een open doodskist.
Het deksel slaat dicht en ik zit gevangen in een met lood beklede kist, blind, doof en stom, een ding zonder armen of benen, waarvan de gedachten in rondjes draaien, zijn eigen verstand verslindend. Wormen knagen door het hout, gravende doofstomme koppen. Ze kunnen niets horen, maar hun wormenhuid voelt me ademhalen.
Ik adem de geur in.
Is dit het bloed van het Lam Gods op mijn tong?
Of de uitwerpselen van de duivel aan mijn handen?

VI

Het gerinkel van de telefoon snerpte door het huis en boorde zich mijn slaap binnen. Ik probeerde mijn ogen open te doen maar ze zaten helemaal dichtgeplakt. Ik knipperde tot het waas wegtrok en kneep mijn ogen samen tegen het wrede zonlicht.

'Ma?'

Geen antwoord.

Ik trok mijn spijkerbroek aan en haastte me naar beneden, nam de hoorn van de haak.

'Hallo.'

Mijn stem klonk schor van de rook en de drank. Ik was te snel opgestaan: mijn maag kwam in opstand.

Jameys stem kraste door de telefoon: 'Wat bezielde je in godsnaam?'

Hij klonk kwaad. Niet alleen kwaad. Bang.

'Wat – '

Droge mond. Mijn tong was opgezwollen. Slikken deed zeer.

'Je ging totaal door het lint,' zei hij. 'In de kerk. Wat heb jij, man?'

Zijn stem was zo luid dat ik de hoorn even van mijn oor af moest houden. Ik voelde me duizelig.

'Is dit een grap?'

'Nee, dit is geen grap. We hebben het verkloot. Ernstig.'

Alles om me heen was veel te helder.

'Jamey, zeg 's wat er is gebeurd. Volgens mij heb ik een black-out gehad.'

'Godverdomme.'

Hij zuchtte. Het kwam door als ruis.

'Luister, je flipte.'

Hij sprak langzaam, alsof hij iets aan een kind uitlegde.

'Je begon dingen kapot te slaan...'

Fragmenten droom en herinnering begonnen zich los te weken uit de modder en dreven naar de oppervlakte, afgrijselijk als door elkaar gehutselde lichaamsdelen.

'... Ik moest je naar buiten sleuren. Je ging echt tekeer als een gek.'

Ik legde mijn hoofd tegen de muur, afschuwelijk heet-koud zweet brak uit mijn poriën. Misschien hoorde ik buiten voor de deur een auto stoppen, wie weet? Ik ademde in en uit, in een poging om alle hete, misselijkmakende lucht uit mijn maag te krijgen. Ver weg klonk het gekakel en gekras van Jameys stem maar ik kon de woorden niet verstaan.

Er werd op de deur geklopt.

'Ik ben misselijk,' mompelde ik. 'Ik moet weg.'

De hoorn viel van de haak en bungelde aan zijn snoer. Er werd weer geklopt. Het leek alsof de muren overhelden terwijl ik op de tast de deur probeerde te bereiken. Door het matglas het silhouet van een man. Ik deed de klink naar beneden. Brigadier Canavan stond voor me op de stoep. Ouder dan ik me herinnerde, grijzend haar.

'John Devine?' zei hij.

'Ja.'

De politieauto stond voor ons hek geparkeerd. Hij bekeek me van top tot teen.

'Kleed je aan.'

'Waar gaan we heen?'

Zijn blik was hard als steen.
'Naar het bureau.'

Ze waren met z'n tweeën, brigadier Canavan en een man in burger. Ze ondervroegen me urenlang, maar het enige waar ik me op kon concentreren was een bromvlieg die om de lichtpeer cirkelde, zoemend als een minimotorzaag. Geen ramen in het vertrek, alleen een tafel en een paar harde stoelen. Op de vloer stond een videospeler verbonden met een draagbare televisie. Overal kabels. Het was ondraaglijk benauwd; het rook er naar doodsbang zweet.

De man in burger zat op de tafel, een notitieblok opengeklapt. Na elke vraag die ik beantwoordde – wie ben ik, waar woon ik, waar was ik gisternacht – schreef hij iets op. Elke vraag die ik stelde, negeerde hij. De bromvlieg bromde. Het vertrek stonk. Brigadier Canavan stond pal naast me; ik moest me omdraaien op mijn stoel om hem aan te kunnen kijken.

'We willen je iets laten zien,' zei de man in burger, en drukte een knop van de videorecorder in. Canavan liep naar de muur en knipte het licht uit. De bromvlieg viel stil. Het televisiescherm flikkerde, wierp clair-obscurschaduwen over de vloer, en de stilte werd verscheurd door een luide stoot witte ruis.

Er kwam een reeks vage beelden voorbij op het scherm. Camcorderbeelden, schokkerig en uit de hand gefilmd. Een misselijkmakend gevoel diep in mijn maag, een steen die in het water valt, mijn darmen in zinkt. Mijn schouders verstijfden toen de lens scherp werd gesteld en de beelden helder werden.

Close-up: een vel papier gescheurd uit een notitieblok, bekrabbeld met balpen in een rafelig handschrift.

Merde A Dieu.

Het titelblad.

'Herken je dat handschrift?' vroeg Canavan.

De camera gleed naar het tabernakel, zoomde in op Jezus aan het kruis, en daarna een schokkerige overgang naar een perfecte witte cirkel. De eucharistie. De camera ging achteruit. Hosties lagen uitgestrooid over het tapijt naast het altaar. Een gezicht vulde het scherm, haren ervoor. De man in burger zette de band stil. Het was mijn gezicht, bevroren onder glas. Eroverheen mijn spiegelbeeld, starend vanaf het andere eind van de kamer. Canavan sprak in mijn oor, zo dichtbij dat ik rook en mondwater kon ruiken.

'Wie had de camera vast?'

Ik keek naar de vloer. Mijn gympen hadden nog steeds groene vlekken van het gras.

'Dat weet ik niet.'

'Dat weet je wel. En als je het me niet vertelt, klaag ik je nu meteen ter plekke aan.'

'Waarvoor?'

'Moet ik het voor je uittekenen?'

'Nee, ik wil alleen weten waarvan u me beschuldigt.'

Canavan knikte.

'Oké. De voordeur van de kerk was geforceerd. Een van de beelden was omgegooid en in stukken geslagen. Het tabernakel was geramd met zo'n grote koperen kandelaar. Er lag overal heilige communie rondgestrooid. De kelk ontbreekt nog steeds. En er lagen uitwerpselen op het altaar. Feces. Iemand heeft het als toilet gebruikt, John.'

Dat laatste loog hij. Dat kon niet anders.

'Wat voor een hond doet nou zoiets?' zei hij.

De man in burger ging staan en rekte zich uit.

'We laten hem gewoon de rest zien,' zei hij. 'Misschien dat het hem dan weer te binnen schiet.'

Ze speelden de band af. Ik zag de vorm van mijn lichaam in de duisternis, met het gezicht naar het kruis, een schaduw doorklieft met diagonale strepen maanlicht, dat door het glas-in-loodraam scheen, en één seconde lang zag ik mijn hele lichaam veranderen, iets anders worden, iets beestachtigs, een geit als een geit op zijn achterpoten kon staan, iets met lange kromme nagels en haar op zijn rug en hoeven in plaats van voeten en het *brulde*, zo luid dat de microfoon van de camcorder overbelast werd en opeens draaide de camera weg en kon je alleen maar zwart zien, het enige wat je kon horen was mijn stem, het geluid scheurde uit mijn keel, vals, hevig vervormd.

Mijn vingers klauwden zich vast aan mijn broek. Ik herinnerde me de toespraak die Canavan in onze klas had gehouden toen ik klein was, een belachelijke toespraak over wat er met stoute meisjes en jongens gebeurde die naar de hel gingen, en het drong ineens tot me door dat hij een religieus man was, en dat gaf me een beklemmend gevoel, want nu was het niet alleen zijn werk. Nu was het heiligschennis. Binnen in me begon een klein stemmetje een akte van berouw te brabbelen, maar het wist alleen de eerste regel nog en de rest sloeg nergens op.

Ik keek van Canavan naar de man in burger, maar ze schenen niet gezien te hebben wat ik op de video had gezien. Er kwam iets omhoog; ik deed mijn hand voor mijn mond. Canavan greep snel mijn arm en trok me de kamer uit, een hal door en een andere ruimte in, met een toilet en een wastafel. Ik hing mijn hoofd boven de wc-pot maar er kwam niets, dus stak ik mijn vingers in mijn keel en kokhalsde tot mijn maag pijn deed. Ik spuugde. Spoelde mijn mond met water uit de kraan. Keek in de spiegel. Mijn ogen als brandgaten in een laken.

Canavan stond tegen de deur geleund, armen over elkaar.

'Wat had je geslikt?'

'Hè?'

'Je had iets geslikt. Wat was het?'

'Ik had helemaal niks geslikt.'

'Zo zag het er anders wel uit.'

'Ik zweer het bij alles wat heilig is.'

'We kunnen het testen. Het zit vast nog steeds in je bloed.'

'Doe alle testen die u nodig vindt.'

'Je bent door iemand opgestookt, of niet? Degene die de camera vasthield. En ik heb wel enig vermoeden wie dat geweest is.'

Hij schraapte zijn keel.

'Sterker nog, we hebben hem al ondervraagd. Hij zei dat hij je die nacht de kerk binnen had zien gaan.'

'Je liegt. Dat zou hij nooit doen.'

'Dus je weet over wie ik het heb?'

Shit.

'Kom op, John. Je hoeft die gozer echt niet in bescherming te nemen. Dat zou hij voor jou ook niet doen. Je hoeft me alleen maar zijn naam te geven.'

Ik wreef mijn mond af met de rug van mijn hand.

'Doe ik niet.'

'Luister, jongen, als je dat niet doet dan moet ik je aanklagen. Het komt vast in de krant. Je bent nog minderjarig, dus ze zullen waarschijnlijk geen details mogen weggeven, maar het is een klein dorp. Binnen de kortste keren weet iedereen ervan. Het zal op je voorhoofd geschreven staan zolang je in Kilcody woont.'

Zijn hand ging naar de deur.

'Ik zal je moeder moeten bellen. Ze wil vast contact opnemen met haar advocaat. Dat zal haar een aardige duit kosten.' Hij schudde meewarig zijn hoofd. 'Ze zal teleurgesteld zijn. Ze heeft je beter geleerd.'

'Wacht,' zei ik.

Hij stond stil, één hand op de deurklink. Ik slikte zuur speeksel door.

'Als ik het zeg, wat gebeurt er dan?'

'Dat hangt ervan af.'

'Waarvan?'

'Van wat je zegt.'
'En als ik u een naam geef?'
'Dan zal ik kijken wat ik kan doen.'
Ik veegde mijn handpalmen af aan mijn broek.
'En mijn moeder hoeft het niet te weten te komen?'
'Als je meewerkt zal ik dat overwegen. Je moeder kan dit helemaal niet gebruiken.'
Ik sloot mijn ogen. Ik stelde me voor hoe het zou zijn als Canavan mijn moeder zou bellen. De uitdrukking op haar gezicht met de hoorn tegen haar oor. Een dagvaarding van het gerecht bij de post. Mijn moeder die geld van haar spaarrekening haalt en een advocaat belt.
Ik voelde een steek in mijn hart.
Ik had van alles kunnen zeggen. Ik had glashard kunnen liegen. Of ik had kunnen zeggen wat hij wilde weten. Alles.
Niet wat de mond in gaat, maakt de mens onrein.
'Jamey Corboy.'
Maar wat eruit komt.

In de futloze, klamme weken die volgden leek het alsof het dorp niet echt was, een luchtspiegeling. Mensen liepen in slow motion over het marktplein. Gebouwen zonken in hun funderingen alsof ze smolten van de hitte, en de schaduwen die ze wierpen waren scheef en lang.

De kerk wierp de langste schaduw van allemaal.

Ik herinnerde me wat pastoor Quinn tegen ons zei toen we ons voorbereidden op ons vormsel, dat de hel niet per se een plek hoeft te zijn vol duivels en demonen, en mensen die verbranden in eeuwig brandende vuurzeeën, de hel kan ook gewoon een afwezigheid van God zijn.

Overal doemden religieuze objecten op. Het Heilig Hart in de keuken. De gekruisigde Jezus geketend aan de rozenkrans die mijn moeder op haar nachtkastje had liggen. Het plastic Madonnabeeldje gevuld met wijwater dat mevrouw Nagle ooit voor ons mee had gebracht uit Lourdes, de verdrietige moederogen somber en terneergeslagen.

Meestal ging ik 's middags op het monument zitten en keek naar de zwemmers die naar de Soldatenbaai gingen, rouwdouwende, slungelige jongelui met handdoek en zwembroek onder de arm. Ik benijdde hen dat ze zo lekker in hun vel schenen te zitten, zo zorgeloos en zeker van zichzelf, alsof ze nooit hadden ervaren hoe het is om je buitengesloten te voelen, gevangen onder de versterkte zon als een lelijk insect onder glas, als de verloren ziel in het boek van Rimbaud dat Jamey me geleend had, *Een seizoen in de hel*. Ellendig en onrein.

De nachten waren het ergste. De lucht was verstikkend en klam en benauwd. Eindeloos, obsessief, draaide ik de herinnering aan die ochtend op het bureau af in mijn hoofd, toen ik had geklikt over de kerkinbraak, over Jamey en Gunter die drank en sigaretten uit The Ginnet gestolen hadden. De duisternis kolkte van verhalen die ik gelezen had over slaapwandelaars die moorden pleegden, of dronkenlappen die een blackout kregen en gruweldaden pleegden en nergens van wisten als ze wakker werden, afgezien van het bloed aan hun handen. Ik lag in bed, doodmoe en plakkerig van het zweet, de lakens helemaal in de knoop.

Op een ochtend kwam ik beneden en trof mijn moeder aan de keukentafel met de *Sentinel* voor haar opengespreid.

'Er zit een brief voor je bij de post,' zei ze, wijzend op de ongeordende stapel brochures, rekeningen en reclamefolders, die zich midden op tafel had opgehoopt. Ik vond de brief en scheurde de envelop open, mijn maag draaide zich om toen ik Jameys kriebelhandschrift herkende, de letters samengepakt als passagiers op een reddingsboot. Ik ging er buiten mee op het stoepje zitten, waar ik het ongestoord kon lezen.

15 Fairview Crescent
Ballo Town

Nou, John,

Er is al veel rioolwater onder de overhang door gegaan sinds we elkaar voor het laatst spraken. Zoals je kunt zien aan het adres komt deze brief naar jou vanuit het bijzonder saaie gat Ballo. Ja, het is zover gekomen dat Maurice het huis te koop heeft gezet en we terug zijn verhuisd. Ze zeiden dat ze dat hadden gedaan om dichter bij me in de buurt te zijn als ik moet gaan, zodat ze me vaker kunnen bezoeken, maar ik denk dat ze het hebben gedaan omdat ze hun gezicht niet meer durfden te laten zien in Kilcody.

Je zult intussen wel gehoord hebben dat ze me een jaar voorarrest hebben gegeven in Balinbagin Jeugdinrichting. Dee vraagt steeds waarom ik het heb gedaan, maar ik kan haar moeilijk uitleg verschaffen, nietwaar? Jij zou die vraag beter kunnen beantwoorden. Je bent er makkelijk mee weggekomen vriend, maar ik misgun het je niet. Laten we maar zeggen dat het de schuld was van die ouwe Rimbaud, goed? Misschien hebben we hem iets te letterlijk genomen.

Ik heb nagedacht over wat er gebeurd is maar ik kan er om begrijpelijke redenen niet al te veel over zeggen. Zet nooit iets incriminerends op papier. Of op band.

Dat lesje zal ik nooit vergeten.

Ik kan me niet veel herinneren van de rechtszaak, behalve dat onze advocaat het zo snel mogelijk achter de rug wilde hebben. Er werd een hoop gewauweld en met juridisch jargon en advocatentaal gesmeten en de rechter vroeg wat ik pleitte en ik zei: ‘Schuldig, edelachtbare’, precies zoals ze me gezegd hadden. Het is wel raar om die woorden uit te spreken in een rechtszaal. Meestal begreep ik niks van wat er allemaal gebeurde, tenminste, totdat de rechter mijn vonnis uitsprak. Dat begreep ik maar al te goed.

De advocaat zei dat ik waarschijnlijk hoogstens zes maanden hoefde uit te zitten. Ik maak me er eigenlijk niet zo druk over. Dit soort inrichtingen is heel anders tegenwoordig. Eerlijk gezegd maak ik me meer zorgen over Gunter. Het gerucht gaat dat ik op zijn zwarte lijst sta. Hij denkt kennelijk dat ik hem verlinkt heb wat die klus in The Ginnet betreft en verschillende andere zakelijke ondernemingen, die ik maar beter niet op papier kan zetten. Ik heb nooit een woord losgelaten. Die lange lul moet mij niet de schuld geven als er een verklikker onder zijn gelederen zit.

Hoe sneller ik mijn straf kan gaan uitzitten hoe beter. Opsluiting is waarschijnlijk het veiligste voor mij!

Maar goed, ik moet ervandoor.

Nog van alles en nog wat te doen.

Of niet.

Later,

Jamey.

Ik vouwde de brief op en stopte hem in mijn zak. Toen ik terugkwam in de keuken zat mijn moeder met half dichtgeknepen ogen in de krant te turen. De opticien had haar een leesbril voorgeschreven maar ze weigerde hem op te zetten, zei dat ze er dan uitzag als een bibliothecaresse. Ze had een afkeurende blik op haar gezicht.

'Goeie God,' zei ze. 'Had je hier al iets over gehoord?'

'Waarover?'

Ze tikte op de voorpagina en gaf me de krant aan. Het was het tweede artikel, onder een groot stuk over de introductie van parkeerschijven. Ik las het verhaal vluchtig door en deed mijn best om een uitdrukking van langzaam doordringende horror te benaderen.

Plaatselijke jongeman veroordeeld voor schenden kerk

... de kerk was zo ernstig ***geschonden*** *– gewijde hosties waren weggehaald, en op het altaar was gedefeceerd – dat er een nieuwe inzegeningsceremonie werd gehouden voordat de heilige mis er weer gevierd kon worden. De politie spreekt de geruchten dat plaatselijke jongelui betrokken zijn bij bizarre* ***rituelen van een satanische cultus niet tegen*** *...*

'Jezus,' zei ik.

'Pas op je woorden, John.'

'Sorry.'

Ik kon haar blik voelen toen ik met meer aandacht begon te lezen.

'Er staat dat hij het heeft toegegeven,' zei ze, haar gezicht onleesbaar. Ik legde de krant neer, en liep naar het aanrecht en pakte een glas water. Ze stond met haar rug tegen de tafel, armen over elkaar.

'Heeft Jamey hier iets over gezegd tegen jou?'

'Dit is het eerste wat ik erover hoor.'

Haar mond krulde.

'Dat kan ik bijna niet geloven.'

Op de een of andere manier moest ik denken aan van die verhalen over waargebeurde misdrijven waarin ze weten dat de moordenaar schuldig is als hij in staat is in slaap te vallen in de verhoorkamer.

'Hij is vast door iemand opgestookt,' zei ik.

'Ik vraag het me af.' Mijn moeder deed haar armen van elkaar en schudde haar hoofd. 'Hij leek me zo'n leuke jongen. Maar ik zal je wel vertellen, die zie je nooit meer terug, in of buiten Balinbagin. Als mijn zoon zoiets zou doen, zou ik hem de oren van zijn hoofd slaan, hoe sterk hij ook was. En dan zou ik hem aan de politie overlaten.'

'Daar zou je goed aan doen,' zei ik.

Ze schraapte haar keel, waste haar mok af en ging naar de badkamer om zich te wassen.

Ik ging aan tafel zitten en las de rest van de krant door. Mijn ogen bleven steken bij een van de koppen die de achtergrondkatern overheersten.

Vermiste asielzoeker vermoedelijk slachtoffer van mensenhandelbende

Van onze verslaggever Jason Davin

Er wordt steeds meer gevreesd dat Jude Udechukwu, de twintig jaar oude Nigeriaanse asielzoeker die onlangs spoorloos verdween uit Kilcody, het doelwit is geweest van bendes die dreigen met zwarte magie om onschuldige slachtoffers tot slavernij te dwingen.

Vorige week werd de Sentinel *gebeld door een man die beweerde bevriend te zijn met de Nigeriaan. Hij wenste uitsluitend aangeduid te worden met de naam Okenawe. Hij zei dat hij eerder dit jaar in West-Londen een woonruimte deelde met Udechukwu en een aantal andere illegale immigranten.*

Volgens de beller zei Udechukwu dat hij in januari op een avond was ontvoerd door een aantal mannen in de stad Lagos in Nigeria en naar een vervallen huis werd gereden aan de rand van de stad. Hij werd gekneveld en vastgebonden aan een stoel en meerdere uren gevangengehouden. Gedurende die periode werd zijn gezicht besmeurd met bloed en werd hij gedwongen om dierlijke organen te eten. Uiteindelijk werd hij vrijgelaten en bevolen om binnen 24 uur terug te komen met een grote som geld. Als hij daar niet in slaagde, zo zeiden ze, dan zouden ze hem ***onthoofden*** *en zijn familie vervloeken.*

Een man nam contact op met Udechukwu en bood hem de mogelijkheid om te ontsnappen door middel van vervalste documenten en een vliegticket, wat, naar later bleek, deel uitmaakte van de zwendel. Hij vloog via Milaan naar Londen, waar hij een mo-

biele telefoon kreeg en hem werd verteld dat hij verdere instructies moest afwachten. Op dat moment ontmoette hij Okenawe.

Gedurende een aantal maanden waren beide mannen betrokken bij uiteenlopende praktijken omtrent uitkeringsfraude, waarbij ze werden gedwongen om een maandelijkse aflossing te betalen, plus rente, voor de 'onkosten' (vlucht, vals paspoort, accommodatie) aan een plaatselijke contactpersoon. Ze deelden een kamer met een tiental andere mannen en vrouwen, waaronder enkele tieners. De meeste meisjes zaten in de ***prostitutie*** *of hadden werk als slecht betaalde bedienden. Als ze hun betalingen niet voldeden, zo werden ze gewaarschuwd, zouden hun bazen bovennatuurlijke krachten gebruiken om hun familie te vinden en te vermoorden.*

Volgens Okenawe begon het voor Udechukwu na een aantal weken steeds problematischer te worden om voortdurend zijn schulden af te moeten lossen en had hij het erover om Londen te ontvluchten. Hij zei dat hij van plan was om naar Swansea te liften en met de boot naar Ierland te gaan. Toen hij verdwenen was, nam Okenawe aan dat hij dat gedaan had. Toen een Ierse vriend hem een paar weken geleden het bericht van deze krant liet zien over Udechukwu's verdwijning nam hij contact op met het kantoor van de Sentinel. *Okenawe is bang dat Udechukwu opgespoord en zelfs vermoord is door leden van de bende die hem* ***afperste.***

Gevallen van 'muti' of 'obeah', rituele moorden, komen zelden voor in het Westen, maar zijn de laatste tijd toegenomen. Een aantal jaren geleden werd het onthoofde lichaam aangetroffen van een man, drijvend in de Liffey, en vorig jaar werd in de Midlands enkel een torso aangetroffen in een koffer. Het Zuluwoord 'muti' staat voor elke vorm van geneeskunst die beoefend wordt door sangoma's, *ofwel traditionele Zuid-Afrikaanse genezers. 'Obeah' is een vorm van hekserij. Hierbij wordt een prepuberaal kind als menselijk offer gebruikt.*

De praktijk van de zwarte magie als geneeskunst heeft recente-

lijk geleid tot een bloeiende handel. Meerdere jaren geleden stelde de Zuid-Afrikaanse regering na een reeks van ontvoeringen en doden in Soweto een onderzoek in naar hekserij en rituele moorden. Dit wees uit dat het vergaren van **hersens** *en* **geslachtsorganen** *van een persoon duizenden ponden kon opbrengen. De organen van blanke mannen werden nog waardevoller geacht, vanwege hun zakelijke bekwaamheid. Rapporten wezen uit dat organen die aan levende slachtoffers toebehoorden als waardevoller werden beschouwd omdat het geschreeuw van de slachtoffers ze krachtig maakte. De overgrote meerderheid van traditionele helers wil niets met de handel te maken hebben, maar iedereen die genoeg geld heeft kan remedies kopen die van menselijke organen zijn gemaakt.*

Toen de Sentinel *contact opnam met de plaatselijke politie liet een woordvoerder weten dat ze de beweringen van Okenawe serieus nemen. Ze overwegen momenteel een diepgaand onderzoek.*

Ik vouwde de krant op, merkwaardigerwijs gerustgesteld.

De dagen kropen op handen en voeten voorbij. Boeken waren een armzalig substituut voor Jameys gezelschap. Ik verveelde me dood, en het duurde niet lang voordat mijn moeder mijn overmatige prikkelbaarheid zat werd.

'John,' zei ze, 'je kunt niet de hele zomer lopen kniezen. We moeten een baantje voor je vinden.'

'Wat voor baantje?'

'Nicky Gibbons zoekt plukkers.'

Ze had dit duidelijk al van tevoren bedacht. Eén telefoontje en ik was aangenomen.

We kwamen allemaal om stipt halfzeven op de afgesproken plaats op het kruispunt bijeen. Nicky's Renault 4 kwam aanrijden en we propten ons er met zo velen als mogelijk in, de meesten even oud als ik of jonger, emmers en tonnen vastklemmend, kleren onder de aangekoekte opgedroogde modder. Nicky zette ons af bij het hek en reed weg om de volgende ploeg op te halen. We zeulden het erf over en kwamen samen op de wendakker. De lucht bevatte nog sporen van de kilte van de vroege ochtend. Ik liet mijn blik over het veld glijden, rijen en rijen met dauwdoordrenkte aardbeienplanten, uitgestrekt tot in de volgende provincie.

We gingen aan het werk, voeten aan beide kanten van de rij planten, vingers op de tast door het gebladerte. De mouwen van mijn trui waren al snel kletsnat, mijn polsen jeukten en het weemakend zoete fruitsap beet in mijn nagelriemen. De hele ochtend hing er een onnatuurlijke stilte over alles, enkel verstoord door het geritsel van de planten. Soms hoorde ik flarden muziek, die vreemd genoeg uit de diepten van de nevel kwamen aandrijven en ik staarde het omringende landschap in, voelde me als een gedetineerde die met een groepje medegevangenen aan de weg werkt en mijmert over de vrijheid aan de andere kant van de greppel.

Soms vroeg ik me af hoe het zou zijn om die velden over te steken en de fluisterende bossen in te verdwijnen, simpelweg op te gaan in een dwaallichtje, een geest te worden die over de smalle landweggetjes zweeft, te lopen tot ik het gevoel kreeg dat ik niet meer bestond, alsof ik al gestorven was, geraakt door de bliksem of door zo'n grote lompe vrachtauto op weg naar de haven van Ballo, zo plots dat mijn ziel niet uit mijn mond kon ontsnappen en vast kwam te zitten in een vagevuurachtige wereld van tussenverschijnselen, gedoemd om mijn schaduw te volgen, terwijl mijn schaduw mij volgt, en soms twee schaduwen achter elkaar lopen, een andere ik en een andere Jamey.

Ik probeerde de stemming van me af te schudden en door te werken.

Als mijn emmer vol was zeulde ik hem naar het begin van de rij en leegde hem in een blauwe plastic bak, en als die vol was – drie emmers was genoeg – zette ik er een tweede bak bovenop. Mijn achterwerk was doorweekt van het neerhurken op geplet fruit. Mijn rug deed pijn en ik moest van houding blijven veranderen om enige verlichting te vinden.

Plukkers werkten geleidelijk de rijen af, maaien bezig met een karkas. De planten werden droger naarmate de zon verder langs het hemelgewelf omhoogkroop. De eerste pauze was om elf uur. Nicky's vrouw Greta bracht de theepot en we gingen allemaal met onze mokken in de rij staan. Ik ging op mijn jas zitten en at mijn boerenkaassandwich en luisterde naar hoe de andere plukkers het weer bespraken, of het zo warm zou blijven, en of als het zou regenen wat voor regen het zou zijn, want een buitje hield in dat we al theedrinkend zouden wachten in de schuur tot het voorbij was om daarna weer verder te werken, maar aanhoudende regen hield in dat het werk werd stilgelegd en we op een andere dag terug zouden moeten komen. Nicky baalde er altijd van als dat gebeurde; hij moest de oogst inhalen. Hoe hard het ook naar beneden kwam, hij ging in de deuropening van de schuur naar de hemel staan turen en zei dan: 'Ik geloof dat het op begint te trekken, jongens', en iedereen verzekerde hem in koor van nee, dat dacht hij maar, het was afgelopen voor die dag.

De andere plukkers vormden een bonte mengelmoes. De tweeling van Flynn was pas negen of tien maar ze konden per dag meer emmers plukken dan ik in een week bij elkaar kreeg. Ik zorgde ervoor dat ik mijn bakken zo ver mogelijk bij hen vandaan opstapelde om de vernedering te beperken. En dan had je nog Larry Mythen, een reus met een rode kop, meer dan twee meter zonder schoenen. Ze zeiden dat hij een keer agressief was geworden toen hij dronken was en dat hij in de gevangenis had gezeten. Ik keek naar zijn open gezicht en vriendelijke ogen en kon het me niet voorstellen. Dan had je Carol Cassidy, lang en levendig, met sprankelende ogen en lang bruin haar, de pijpen van haar strakke spijkerbroek in haar laarzen gestopt. Ik was knettergek op haar, maar ze hield het maar een week vol en toen besloot ze dat ze betere dingen te doen had met haar zomer. En dan had je Trigger Quigly, een gedrongen, licht ontvlambare man, die speeksel rondsproeide als hij sprak. Hij kwam best onschuldig over, maar alle vrouwen liepen in een grote boog om hem heen en zeiden dat hij een viezerik was.

Als ik in de pauze mijn sandwiches ophad ruilde ik mijn chocoladekoekjes voor twee sigaretten van een vent met een hazenlip en rookte ze in een paar flinke trekken op, waarna ik het uiteinde voorzichtig uitmaakte met spuug en de peuk in mijn borstzakje stopte.

De plukkers liepen in ganzenpas terug naar de rijen. Tegen het eind van de dag begonnen mijn gedachten af te dwalen en lette ik niet meer goed op, vulde mijn emmer met harde witte aardbeien, die nog niet rijp waren, en aardbeien die zacht en beurs waren, balletjes schimmel die je zo kapotkneep.

Rond vijf uur verscheen Nicky op de wendakker om alles bij elkaar op te tellen in een grootboek. Hij woelde mijn bakken door, pikte de rotte aardbeien er uit en vroeg of ik voortaan wat meer aandacht wilde besteden aan kwaliteitscontrole. We stapelden de bakken op de aanhangwagen om te worden afgeleverd in de fruitfabriek. Het was zwaar werk.

Als ik 's avonds thuiskwam was ik tot niets anders meer in staat dan eten en naar bed gaan. Het sap en de smurrie zaten permanent op mijn handen. Ik sliep diep en droomloos en als de wekker afging trok ik mijn smerige kleren weer aan, maakte mijn lunchpakket klaar en wachtte op het kruispunt.

Elke ochtend bad ik voor een regenachtige dag. Zo gingen nog twee weken voorbij en daarna leverden de rijen alleen nog verschrompelde pitjes. Nicky Gibbons kwam thuis langs met mijn cheque en zei dat het een genoegen was geweest en mocht ik geïnteresseerd zijn, hij had een bus gehuurd om ons een dagje mee uit te nemen naar de kermis in Ballo Haven en of ik mee wou gaan. Ik zei dat dat leuk klonk en dat hij op mij kon rekenen.

De ochtend dat de bus ons naar Ballo zou rijden, kwam er weer een brief voor mij. Ik stopte hem in mijn jas en haastte me naar het kruispunt. De werkers waren bijna onherkenbaar in hun schone T-shirts en gestreken broeken, gezichten afgeschrobd en haren gewassen. Hun opwinding was aanstekelijk. We stapten in de bus, de jongere kinderen begonnen al meteen aan hun snoepjes en zakjes chips, de rouwdouwers rotzooiend op de achterbank. Toen de bus vertrok, vouwde ik Jameys brief open en begon te lezen.

15 Fairview Crescent
Ballo Town

John,

Ik had een droom, heel erg trippy, waarin ik in de hel was, en toen werd ik wakker en was ik in de hel, aan het dromen. Hoe dan ook, de droom begon ermee dat ik in de rechtszaal was. De rechter sprak het vonnis uit en de stenograaf typte en de politie sloeg me in de handboeien en ze namen me mee naar een soort wachtkamer en trokken al mijn kleren uit, en de cipier kwam binnen, een gezichtloze man met gele tanden, en hij trok een rubberen handschoen aan, balde zijn vuist, beval me om diep voorover te buigen en zei, 'Spreid maar lekker open, jongen.' En toen hij zijn duivelse werk met mijn ingewanden geklaard had brachten de bewakers me naar de douches, spoten me af met slangen en gooiden antivlooienpoeder en ontsmettingsmiddel over me heen en moest ik mijn spullen eindeloos ver meesjouwen tot we stilstonden in een soort voorportaal en de cipier zei: 'Lees dit en huil, jongen.'

Ik las het – LAAT ALLE HOOP VAREN GIJ DIE HIER BINNENTREEDT – en we liepen door tot we bij een deur kwamen.

'Dit is de hellevator,' zei de cipier. Een monotone computerstem zei: *Naar beneden.* De lift kwam met een ruk in beweging en ik keek naar het lichtje boven de deur, telde de verdiepingen, van een tot negen. Aan elk nummer zat een gele Post-it geplakt, en de deur ging op elke verdieping open.

1 – de deugdzame heidenen en ongedoopte kinderen.

We zagen wilde blagen door afval rommelen.

2 – de zinnelijken.

Leproze bedelaars in travestie, kronkelend door de goot, jengelend om een aalmoes.

3 – de vraatzuchtigen.

Jabba de Hutt kauwend op een geldburger.

4 – de hamsteraars en de verspillers.

Een geamputeerde die in een kist in iemands kelder is gestopt, een geel krijtje tussen zijn tanden geklemd waarmee hij *dood me* op het hout schrijft.

5 – de toornigen en de nukkigen.

Een televisieploeg die door lege verkrachtingsruimtes loopt.

6 – de ketters.

Een varken dat rechtop door een winkelcentrum loopt, de terugdeinzende, geschokte winkelaars.

En toen we aankwamen op de zevende verdieping – de beestachtigen en de gewelddadigen, de moordenaars en oorlogsstokers, de zelfmoordenaars en sodomieten, de godslasteraars, perverzen en woekeraars – zei de cipier: 'Dit is jouw afdeling. Hier lusten ze je wel rauw.'

We stapten een glanzende hal in en overal klonk scherp gefluit op. Kraaloogjes staarden me aan vanuit de cellen. In één hokje zat een jonge vent aan zijn inhalator te zuigen en te proberen met nat wc-papier het bloed te stelpen dat uit zijn je-weet-wel kwam.

'Mijn eerste periode van Berouw,' zei de knul.

We liepen verder. Er kwam een snotterende zot voorbij, die een wasgoedkar voor zich uit duwde vol met lange draden. Hij stond stil, keek om zich heen, en zei: 'Verhaal?'

‘Hoe duur?’ vroeg de cipier.

‘Een halve nikser, baas,’ antwoordde de zot, en de cipier stopte een muntje in een gleuf in het voorhoofd van de zot, en die begon zijn verhaal op te dreunen.

‘Het gaat over een dikke jongen die Roy Caulfield heet,’ zei de zot, ‘die op de eerste dag dat hij binnen was de aandacht trok van Paws O’Rourke. Paws zag dit lekkere kleine hapje wel zitten, maar Roy maakte de fout dat hij zich verzette, hij gilde en schopte en schold Paws uit. Dus Paws zegt: ‘Als je liever praat als een pispot, dan maken we er een van je.’ En ze sleurden de gozer naar de ziekenafdeling, bonden hem vast op een tandartsstoel, trokken al zijn tanden uit zijn mond en schroefden een klem om zijn kaken. En drie dagen en drie nachten lang besteeg Jan en alleman van verdieping zeven die tandartsstoel en gebruikte de tandeloze bek van die gast als kapotje.’

De zot knipoogde en hobbelde weg met zijn kar.

De cipier spuugde op zijn sigaret, die siste.

‘Kom,’ zei hij. ‘Je moet de baas nog zien voordat ik je binnenlaat.’

Smeltend van de hitte stapten we de lift weer in.

Naar beneden.

8 – de bedriegers en verraders, koppelaars en verleiders, vleiers, simoniebedrijvers, waarzeggers en wichelaars, hypocrieten, dieven, slechte raadgevers, vervalsers: alchemisten, valsemunters en valse getuigen.

Een politbureauvergadering.

Naar beneden.

9 – aanzetters tot gecompliceerde fraude, de landverraders en verraders van bloedverwanten, en van hun gasten, gastheren en meesters.

De onderbuik van de hel.

De cipier zei: ‘De Opzichter verwacht je al.’

Maar ik wist het al, door de geur: Broeder Bubba Ze Bel.

Bubba stond op, armen wijd open, stinkend van onder zijn

oksels, enorme glimlach op zijn dikke kop.

'Welkom, jongen,' zei hij, de kalk van zijn handen wrijvend. We schudden elkaar de hand. Hij kietelde mijn handpalm met zijn pink en gaf me een speels kneepje in mijn wang.

Dat is het moment waarop ik echt wakker word, badend in het zweet. Dit droom ik heel vaak, John.

Wat betekent het volgens jou? Maar nog belangrijker, waarom heb je me verlaten?

Je vriend,

Jamey

De hele dag liep ik doelloos van het reuzenrad naar de spooktrein naar de waterfietsen. Uit de speakers schalde vreselijk vervormde pingelmuziek, generatoren spuwden giftige gassen uit en overal stonk het naar rook en diesel. Ik dwaalde door de speelhal, schrok steeds van het helse kabaal, stopte muntjes in gokautomaten en speelde een paar partijtjes pool met mensen die ik niet kende. De botsautootjes botsten als gekken op elkaar en de inktvis slingerde zijn karretjes in 't rond, en even dacht ik het gezicht van mevrouw Nagle te zien, verwrongen door de zwaartekracht, ogen wijd en mond open en krijsend als een *banshee*, maar toen ik nog eens keek was ze weg.

Mensen slenterden over de promenade. Rijen kraampjes en tafels beladen met goedkope sieraden, prullen, kettinkjes en ringen en amuletten en stenen. Caravans met bordjes voor het raam waarop lezers van de tarot, de handpalm en de kristallen bol hun diensten aanboden. Ik telde mijn geld, liep het trapje van een van de caravans op en klopte op de open deur. Een vrouw in een floddertrui en joggingbroek zat te kijken naar een of ander luidruchtig spelprogramma op een draagbare televisie. Ze zette het geluid uit en zwaaide naar een leunstoel naast een wankel tafeltje.

'Vijfje voor je hand, tientje voor de kaarten,' zei ze.

Ik gaf haar een tientje. Ze zette een bril op haar neus en pakte mijn hand, trok mijn vingers uit elkaar en tuurde naar de lijnen. Ze keek met een ruk op en staarde me aan.

'Eruit,' zei ze.

'Wat?'

'Eruit.' Ze schoof het tientje over de tafel. 'En neem je geld mee.'

Ik stond op en stamelde iets, maar ze greep naar de bezem. Ik liep achteruit door de deur en stommelde het trapje af, de avond in. De deur sloeg dicht en de jaloezieën rolden naar beneden. De kermis tolde om me heen. De lichtjes leken te vervloeien tot lichtgevende strepen toen ik over de promenade strompelde onder het glinsterende reuzenrad. Figuren doemden op uit de duisternis en verdwenen weer, skeletten huppelend door een carnavalsoptocht. Jongemannen kletsten en flirtten met brutaal uitziende meisjes met paardenstaarten en enorme ronde oorbellen terwijl ze veiligheidsstangen over de stoeltjes van de Skyrider vastklikten. Een zwarte man met een geitensik, een felgeel T-shirt en hippe schoenen deed kaarttrucjes voor een klein publiek, opzichtige ringen glanzend aan zijn razendsnelle vingers.

Toen zag ik juffrouw Ross, de vervangend lerares Engels, helemaal opgetut met mascara en oogschaduw, opgekamd haar, en ze liep arm in arm met een jongen die niet veel ouder was dan ik, en ze lachten, stralende gezichten. Ze stonden stil en zoenden elkaar. Het vriendje bevoelde de billen van juffrouw Ross gestoken in een minirokje en ik keek toe, met mijn mond vol tanden, kon niet wegkijken totdat ze mee werden gesleurd in de stroom mensen.

Ik doolde door alle commotie heen. Een jonge gladgeschoren man deelde pamfletten uit en probeerde zich niets aan te trekken van het gepest en getreiter van een paar schoffies met millimeterhaar. Hij stak me een foldertje toe en liep verder. Op de voorkant stond: ZIJN DIT DE LAATSTE DAGEN? De pagina's stonden vol met waarschuwingen over mensen die verliefd worden op geld en genot, kinderen die hun ouders niet gehoorzamen, landen die tegen elkaar in opstand komen, aardbevingen, voedseltekorten, pestepidemieën. Op de middenpagina stonden foto's van criminele jongeren bezig met het inpakken van uzi's. Bijbelcitaten. Globale klimaatveranderingen en instortende markten. Dat alles werd het Goede Nieuws genoemd. Ik stopte het pamflet in mijn zak, naast Jameys brief, en liep snel terug naar de parkeerplaats.

De blauwe lichtjes in de bus waren aan, en de motor draaide. Ik stapte in en ging achterin zitten, ver weg van de opgefokte, bleek uitziende kinderen en dronken volwassenen, die stonden te wankelen op het middenpad. Iemand had overgegeven; je kon het ruiken. Toen de bus gas gaf, schudde en wegreed, legde ik mijn hoofd tegen het raam en tuurde de schemering in en wenste dat ik ver weg was.

Ik moet zijn ingedommeld, in slaap gewiegd door de trillingen van de motor, want toen ik mijn ogen opendeed stond Nicky Gibbons op het middenpad mijn naam te roepen.

'John,' zei hij, 'we zetten je af bij het kruispunt.'

De bus kwam sissend tot stilstand. Nicky schudde mijn hand.

'Tot volgend jaar,' zei hij.

Ik stapte uit de bus en bleef staan langs de kant van de weg, keek op naar de hemel en dacht even Jameys gezicht te zien, flets en gekweld, gecartografeerd in de kuiltjestopografie van de zomermaan.

Een nieuwsbericht, een tickertape loopt aan de onderkant van het beeld. De reeogige nieuwslezeres, wenkbrauwen geepileerd tot getekende boogjes, make-up onberispelijk, gaat van de autocue over op een getypt vel dat op haar bureau wordt gegooid.

'We onderbreken ons vaste nieuwsprogramma voor het volgende bulletin.'

Haar stem is onvast. Tranen borrelen over kohllijntjes.

'Het laatste zegel is gebroken. Dit is geen grap. We gaan nu live naar Londen.'

Cut naar satelliettelefoonverbinding komt kubistisch over vanwege slechte ontvangst.

'Het spijt ons, we hebben blijkbaar wat technische problemen. We gaan nu naar onze correspondent in Berlijn.'

Cut naar broekies die kalasjnikovs in staan te pakken geposteerd voor openbare gebouwen.

Cut naar Sydney, digitale opnames van rellen en plunderaars die ter plekke worden doodgeschoten.

'Meer beelden van wat er momenteel gebeurt...'

Hong Kong: kantoorgebouwen met gesloten rolluiken, blauwe neonlichten die uitgaan, avondklok, rijen voor voedsel, drommen mensen op ziekenhuisafdelingen.

'Vierentwintig uur per dag nieuws, de wereld live in uw huiskamer...'

Los Angeles: kruispunten geblokkeerd met roestende auto's, vijftig kilometer lange files in alle richtingen. Zwarte helikopters zwermen door de lucht als vliegen.

Cut naar: ruisbeelden tijdens primetime.

Een testbeeld met een doodshoofd.

Cut.

De elektriciteit valt uit, de beelden krimpen in tot een wit stipje.

Ik sta op, loop het huis uit en stap in een auto. De auto rijdt vanzelf, voegt zich in een wilde stroom van files, eindeloze rijen voertuigen op weg naar het strand, die bij elkaar komen op de parkeerplaats aan de kust, die volstaat met patatwagens. Horden mensen sjokken naar de waterkant; sommigen klemmen potjes jodiumpillen tegen zich aan als religieuze beeldjes, sommigen drinken uit flacons, sommigen roken wiet, alles om het paniekerig-euforische gevoel van dit gebeurt echt *te verzachten.*

Twee kerels met Australische hoeden dragen een kruis, provisorisch gemaakt van spoorbielzen, naar de waterkant en leggen het plat in het zand. Een derde man, in een te strak pak, gaat erop liggen, zijn overkam-matje ontrolt zich als een tulband in de zeewind. Ze slaan spijkers door zijn polsen en enkels en trekken het kruis overeind. Hij hangt er als een zij rundvlees aan, schreeuwt het uit van pijn, maar ze hebben het kruis niet diep genoeg ingegraven en het valt langzaam naar voren en slaat tegen het natte zand, de geluiden van zijn kwelling gedempt, mond verstopt met slik.

Iedereen ziet er bezweet en opgetogen uit, als marathonlopers bij de veertigkilometerlijn. Duizenden blozende gezichten richten zich naar zee, toeschouwers die met open mond naar een vuurwerk kijken. Golven beuken op het zand, schuimbekkende beesten die op hol slaan voor de brandende stad en daar komt het, rijst op over de baai als een kilometers hoge muur van lava, als Krakatau die explodeert, en je kunt de hitte voelen, de lucht zo vol met rondvliegende as en chemicaliën en dood dat je nauwelijks kunt ademen.

We kunnen onze ogen er niet van afhouden.

Niemand heeft ons ooit gewaarschuwd dat het er zo ontzettend mooi uit zou zien.

VII

De Patroon was een grote geconcelebreerde openluchtmis, waar elk jaar in augustus massa's mensen uit de hele provincie op afkwamen. We waren uren bezig geweest met het schoonmaken van mijn grootouders' graf, zwoegend onder de starende blik van de grote stenen aartsengel, die vanaf zijn hoge sokkel een toeziend oog hield op de begraven doden.

Mijn moeder maakte de grafsteen nat met behulp van een knijpfles gevuld met een oplossing van water en afwasmiddel. Met pompende ellebogen en onderarmen, het zweet glinsterend op haar voorhoofd, schuurde en schrobde ze de grafsteen met een Brillo-sponsje, af en toe even pauzerend om op adem te komen. De zomerhitte eiste haar tol. Ze zette haar handen op haar heupen en keek me onderzoekend aan.

'Wat is er, John?' Ze kreunde toen ze haar rug rechtte. 'Je bent zo stil.'

Ik haalde mijn schouders op en zei: 'Niks.'

Ze rukte een bosje uit van iets wat op klaver leek, kruimels aarde vielen van de wortels.

'Vooruit ermee,' zei ze. 'Of moet ik de tang erbij pakken?'

Ik keek wazig naar de zon en zei: 'Ik had een rare droom vannacht.'

Ze gooide het onkruid op een hoop.

'Die dromen van jou. Waar ging het over?'

‘Over het einde van de wereld.’

Ze pakte een stuk van een oude theedoek en veegde haar handen af, haalde haar sigaretten tevoorschijn en stak er een op.

‘Vertel ’s. Misschien kan ik er iets zinnigs van maken.’

‘Het doet er niet toe. Het was gewoon stom.’

‘Vertel toch maar. Gewoon voor de lol.’

Ik beschreef wat ik me kon herinneren van de droom. Ze luisterde en knikte, rook sijpelde uit haar neusgaten.

‘Mensen hebben het einde der tijden al zien aankomen sinds de tijd begon,’ zei ze. ‘Nadat Onze-Lieve-Heer gekruisigd was en naar de hemel was opgestegen, dachten de apostelen dat de wereld ten einde zou komen. Toen dat niet gebeurde, begon ieder van hen dingen op te schrijven. Als het niet zo was dat het einde van de wereld niet doorging, zouden er geen evangeliën geweest zijn. Hetzelfde geldt voor het eerste millennium.’

Ik wachtte tot ze verder zou gaan, maar er kwam verder niets.

‘Wat gebeurde er tijdens het eerste millennium?’

‘Niets. Ze dachten dat de wereld in het jaar duizend zou eindigen, en toen dat niet gebeurde, verplaatsten ze de datum naar de gedenkdag van de kruisiging.’

Ze tipte as op het hoopje onkruid bij haar voeten.

‘In de Middeleeuwen renden er in Engeland zoveel gekken rond die het einde van de wereld voorspelden dat ze het strafbaar stelden om erover te praten. Daarom vertrokken er ook zoveel naar Amerika.’

Ze staarde naar de inscriptie op de marmeren steen, obsidiaan met witte spikkeltjes. Mensen in zondagse kleren zochten zich een weg tussen de graven door, voorzichtig zodat ze hun enkel niet zouden verzwikken op de kluiten modder. Over een paar uur zou het kerkhof volstromen en de lucht weerklinken met tientjes van de rozenkrans, de stem van de bisschop versterkt via de luidsprekers, gehuurd van Brown's Elektrische Apparaten.

'Zo is dat,' zei mijn moeder, en ze reikte naar de bos gladiolen die ze met een elastiek had samengebonden in een plastic tas. Ze trok de elastiek eraf, legde de bloemen op de kiezelstenen en met samengeknepen ogen van de rook schikte ze de bloembladen tot ze tevreden was.

'Sommige dromen kun je geen touw aan vastknopen,' zei ze. 'Ik zou er maar niet te veel aandacht aan besteden. Trouwens – '

Ze nam de sigaret uit haar mond, keek onderzoekend naar de inkeping boven de filter.

'We kunnen maar beter wegwezen voordat de mensen aankomen.'

'Blijven we niet voor de mis?'

Ze drukte de peuk uit op een omgekeerde zode, stond op en verzamelde de schoonmaakspullen.

'Geen weldenkend mens blijft in de stad op de dag van De Patroon.' Ze sprak het uit als Patoorn. Zodra de kroegen opengaan, vliegen de mensen elkaar in de haren.'

We liepen behoedzaam tussen de graven door en door de schaduw van de grote grijze engel heen. Mijn moeder begon zachter te praten.

'Die stumpers komen naar de stad om te bidden voor hun doden,' zei ze, 'en komen er naderhand zelf naast te liggen.'

Jamey bleef brieven sturen, maar hoe langer ik het uitstelde om terug te schrijven hoe moeilijker het werd. Ik moest denken aan een verhaal dat hij ooit vertelde over een vent die naar de dokter gaat met klachten over gewichtsverlies en buikpijn. De dokter verwijst hem door naar een specialist, die zegt dat hij geopereerd moet worden. Als de chirurg hem opensnijdt vinden ze drie meter lintworm, onontwarbaar verknoopt met zijn darmen. Ze zijn bang om hem te verwijderen, voor het geval hij rond begint te spartelen en zijn vitale organen beschadigt. Dus wat doen ze? Ze naaien hem dicht, sturen hem naar huis en zeggen dat hij er maar mee moet leren leven.

Op een ochtend, toen ik beneden kwam, had mijn moeder haar goede kleren aan en haar jas over haar arm.

'Ga je ergens heen?' vroeg ik.

'Op visite.'

'Bij wie?'

'Niks mee te maken. Ik ben op tijd terug om eten klaar te maken. Geen kattenkwaad uithalen, hoor.'

Ik ging in mijn slaapkamer in kleermakerszit op de grond zitten en herlas Jameys laatste brief.

Balinbagin Jeugdinrichting
7 Priory Road
Balinbagin

Hé John,

Je ziet het al aan het adres, ik ben hier nu een week, en het bizarre is dat het allemaal heel erg meevalt. Sterker nog, in vergelijking met in hetzelfde huis wonen als Dee en Maurice is het hier net Center Parcs. Het eten is nogal rotzooi en het werk is saai en door de week nemen ze je mobiel af, maar er staat een oud noodgebouwtje achter op het terrein waar je tussen de lessen door stiekem kunt roken. Maar het belangrijkste is dat niemand heeft geprobeerd om me achter de fietsenstalling te sodemieteren.

De medewerkers zijn allemaal softies. Je hoeft maar MISBRUIK! te roepen en ze rennen al weg uit angst voor een brief van een advocaat. De andere gozers zijn ook best aardig. Ik sta bekend als de bekakte jongen. In de eerste week was er zo'n stoere gast, Ger Tarp heet hij, die me steeds op mijn falie gaf, maar toen hij hoorde waarom ik hier ben, krabbelde hij terug. Het deed ook geen kwaad om de naam Gunter te laten vallen.

Blijkt dat nieuws over zijn ondernemingen zelfs het heiligdom van Jeugdinrichting Balinbagin is binnengedrongen.

In het weekend hebben we taakstraffen, iemands gazon harken bijvoorbeeld of Balinbagin Park schoonmaken, en een paar dagen geleden zijn we op een soort liefdadigheidsmissie gegaan naar het plaatselijke gekkenhuis, hebben we hun van die zorgpakketjes met toiletspullen en dergelijke gebracht. Dat was lachen.

Het rare is dat ik hier zo weg zou kunnen lopen. Geen hoge muren met prikkeldraad of zoeklichten of speurhonden of dat soort dingen. Maar eerlijk gezegd zou dat het gedoe niet waard zijn. Maurice zou me meteen weer terugslepen.

Trouwens, ik heb allerlei nieuwe verhalen bedacht. Er is 's avonds niets anders te doen dan kaarten of tv-kijken, en daar baal je snel genoeg van. Ik heb er een bijgesloten – later meer. Het enige wat ik van je vraag is dat je ze aan niemand anders laat zien, nog niet tenminste. De reden daarvoor zal je wel duidelijk worden zodra je ze gelezen hebt. Ik zal de namen later wel een keer veranderen om de schuldigen te beschermen. In de tussentijd, veilig opbergen graag. Deze gaat over een vriend van jou en van mij, brigadier Jim Canavan, opsporingsambtenaar in de zaak Het Volk contra Mij. Misschien kun je het als omkoopmateriaal gebruiken als hij je nog eens lastig komt vallen. Zeg maar dat je het van een kabouter gehoord hebt die Corboy heet. Als ik hierover vóór de rechtszaak iets geweten had, had ik de klootzak misschien zover kunnen krijgen om de aanklacht in te trekken.

Het lijkt erop dat ze me er komend weekend uit laten. Eerlijk gezegd, ik geloof dat ik liever hier blijf – in elk geval tot ik het weer een beetje heb kunnen bijleggen met Gunter. Hij stuurt me steeds van die leuke haiku-sms'jes. JE GAAT ERAAN, SNUITERD – dat soort dingen. Maar het zou fijn zijn om jou te zien, als je tijd hebt. Zin om af te spreken op het treinstation in Ballo? Ik kom vrijdagavond met de trein van zeven uur. Gaan we een biertje drinken, ik hoor het wel.

In ieder geval,
Hopelijk alles goed daar bij jou.
Voor een brief van jou geen gevaar zeker?
Jamey

Vrije liefde
Door **Jamey Corboy**

Jim Canavan deed de voordeur dicht. Harde muziek, pistoolschoten en het geluid van botsende auto's vanuit de woonkamer. Hij liep op zijn tenen naar de kamer en duwde voorzichtig de deur open, in de verwachting dat hij Conor zou kunnen betrappen met een sigaret, of een joint zelfs.

De gordijnen rond de erker waren dichtgetrokken. De jongen lag languit op een zitzak. Zijn gezicht flakkerde op in het licht van het scherm. Baggy jeans, T-shirt drie maten te groot, sneakers met losse veters. Zijn haar had een genadeloze militaire coupe en op zijn onderkaak zat een donzen baardje. Hard op weg een man te worden, diepe zware stem had hij. Akelig hard op weg.

'Als je altijd zo zit,' zei Canavan, 'krijg je gegarandeerd last van je rug.'

De jongen keek naar zijn vader en rolde slechts met zijn roodomrande ogen. Hij richtte zijn aandacht weer op de schietfilm.

'Prima,' zei Canavan. 'Als je maar niet bij mij komt zeuren als je op je dertigste krom ligt van de pijn. Waar is je moeder?'

'Weg. Naar haar leesclubje.'

Ze wisselden een gniffel van verstandhouding. Terwijl hij de deur van de woonkamer dichtmaakte voelde hij heel even zijn geweten knagen.

Hij liep de trap op naar de overloop, haalde het slot van de boilerruimte en voelde aan de tank onder de isolatiehoes. Het gebaar deed hem denken aan de tijd dat hij op vrijerspad was, zijn hand die onder de bloes van een meisje glipt, warme huid, gefriemel met het sluitinkje van de bh. De tank was loeiheet. Hij controleerde de thermostaatknop. Aan. De hele dag al, waarschijnlijk. Weer een gat in mijn zak erbij, lieve Rita.

Toen het bad halfvol was stapte hij erin en liet zijn lichaam langzaam in het hete water zakken. Eenmaal onder water trok hij zijn buikspieren aan en bekeek zijn borst en zijn buik.

'Je ziet er niet al te slecht uit voor een ouwe jongen,' zei hij, zijn stem griezelig luid in de kleine betegelde ruimte.

Hij voelde zich geen ouwe jongen. Hij woog ongeveer evenveel als op de dag dat hij getrouwd was.

Hij streek zijn haar achterover, ademde de warme badlucht in en zuchtte. Zoals hij had kunnen voorspellen, kreeg hij dat gevoel weer, die onpeilbare droefheid, als het rouwen om iets wat hij niet kon benoemen. Hij vervloekte die stemming, als het schuldgevoel na een kater, maar zonder het voordeel eerst dronken te zijn geweest.

Zijn hand ging naar zijn stijve.

Als hij erover nadacht kon hij heel precies aangeven welke dag, welk moment hij besloot om Rita te bedriegen. Het was net als wanneer je van de peuken af bent, maar het koortsige verlangen te veel wordt en je een bewust besluit neemt om te versagen, en je hart bonkt terwijl je met je geld in je vuist geklemd naar de winkel loopt en je handen trillen terwijl je het plastic afscheurt, het pakje openmaakt en die klotekankerstok in je mond stopt en aansteekt en de gevolgen ervan je worst wezen.

Hij praatte zichzelf aan dat Rita hem ook bedrogen had, alleen op een andere manier. Ze waren sinds dat kerstfeest een paar jaar geleden niet meer met elkaar naar bed geweest. Ze waren allebei dronken geweest. Ze had de hele avond lopen flirten met Hyland, die kefferige slijmbal. En voor die tijd had ze hem soms maandenlang niet aangeraakt. Niet dat hij helemaal onschuldig was, dat moest hij toegeven. Hij had het opgegeven met haar. Maar ja, hoe moest je in godsnaam aan je vrouw vragen of ze nog wel wilde? Het was gênant.

Dus had hij gewacht, in de hoop dat ze uiteindelijk bij zou draaien, en op een dag besefte hij dat hij de enige was die wachtte. Hij besefte dat het wachten zelf hem verantwoordelijk maakte, aansprakelijk, of, hoe heette dat ook weer? *Medeplichtig.*

Punt was dat hij nog steeds voor haar voelde. Oké, ze was niet meer dezelfde vrouw als twintig jaar geleden, hij was ook niet blind. Maar als hij haar aankeek was ze nog steeds het meisje met wie hij die ene dag getrouwd was en gedanst had in het Salt Island Hotel, hun trouwdag. Op 'Unchained Melody', haar keus. Zelfs nu, al zou ze maar íéts doen om hem kenbaar te maken dat ze nog steeds geïnteresseerd was, hij zou er meteen op ingaan. Echt. Maar ze scheen er gewoon niets om te geven. En hoe vaak hij ook tegen zichzelf zei dat het oké was, dat seks niet zo belangrijk is, dat je best zonder kan, dat er andere dingen in het leven zijn en blablabla, het wilde er niet echt in.

Toen hij eenmaal had besloten om haar te bedriegen, kon hij niet meer terug. Hij raakte te opgewonden door zijn voornemen. Overal waar hij keek: vrouwen. Net als die keer dat de jongste dochter van de kapper drijfnat werd van de regen. Niet eens zo jong, maar ze was een lekker stuk, beetje jongensachtig, hoe noemen ze dat ook weer, *gamine*, kort geverfd stekeltjeshaar, en een lijf dat ze had, Jezus, ze had een paar baby's gehad, een tweeling, hij had haar wel eens zo'n dubbele kinderwagen zien rondduwen, maar ze had zich uitstekend hersteld.

Het was een warme dag en ze droeg een kort rokje, waardoor haar benen goed te bewonderen waren, en een lichtgroen T-shirt en de plotselinge regenbui had haar overvallen, ze bleef gewoon stilstaan en liet zichzelf doornat worden, net als in een film. Ze had fantastische tieten. Hij vroeg zich af of ze er iets aan had laten doen, of misschien gaf ze nog steeds borstvoeding. Het deed er niet toe. Hij moest snel naar huis om zichzelf te ontlasten.

Daarna had hij wekenlang een soort koorts, kloppende ballen, een permanente bult tussen zijn benen. Meisjes die de bank uit kwamen in hun witte bloesjes en gladde panty's en op hoge hakken, wankelend als babygirafjes. Jonge moeders die bij het schoolhek naar hun kinderen stonden te roepen, copieuze konten strak in onberispelijke spijkerbroeken of legerbroeken of joggingpakken die het figuur niet helemaal verhulden. Kleine tienermeisjes helemaal opgedirkt om uit te gaan in het weekend – waarom kleedden de meisjes zich niet op die manier toen hij jong was? Soms zag hij hen na sluitingstijd zigzaggend naar de friettent lopen, ladderzat en arm in arm, heen en weer slingerend als verdoofde kalveren.

Toen kwam *zij*. Hij zag haar een keer 's avonds in Donahue's op het achterterras zitten, nippend aan haar wodka en sigaretten rokend. Hij was naar binnen gegaan om nog snel een biertje te pakken en ze raakten aan de praat. Ze was zo schalks als de hel. Dat beviel hem. Nog voordat hij zijn eerste glas leeg had zoende ze hem, recht voor zijn raap. Zijn lichaam stond onder stroom. De haartjes op de rug van zijn hand stonden recht overeind.

De volgende ochtend had hij zich vreselijk schuldig gevoeld. Maar dat ging behoorlijk snel over. Of misschien raakte hij er gewoon aan gewend. Hij dacht aan de mensen die trouwen omdat ze bang zijn voor eenzaamheid. Die kennen de betekenis van dat woord niet eens. Hij wilde niet verworden tot een verbitterde oude man vol spijt. Soms voelde hij zich net het oude paard uit *Animal Farm*, hoe heette hij ook weer, Boxer. Ik ga harder werken, dat was de manier waarop het paard steeds alles probeerde op te lossen. En moest je zien wat er dan van je werd als je niet oppaste.

In bad, met je pik in je hand.

Maar de dingen waren veranderd.

Híj was veranderd.

Het water klotste tegen zijn benen. Hij stelde zich haar hoofd voor dat zich op en neer bewoog, haar tong die wonderen deed voor zijn vermoeidheid, zijn lichaam weer tot leven bracht. Hij probeerde zich haar aanraking voor de geest te halen, de manier waarop ze kuste, alsof ze verhongerd was, alsof ze zijn gezicht erbij wilde opeten. Het was zo totaal anders dan hoe ze gewoonlijk was, nors en zwijgzaam.

Het water was lauw geworden. Hij greep de rand van het bad en hees zich er met een kreun uit. Droogde zich af. Ging naar de slaapkamer en pakte schone kleren uit de kast. Rita had lopen zeuren dat hij zijn spullen eruit moest halen zodat zij hem kon gebruiken voor haar schoenen. Zeventien jaar in dit huis en hij had nog altijd het gevoel dat hij niet in het decor paste, alsof hij een protserig erfstuk was of een slecht schilderij, dat steeds van de ene kamer naar de andere verhuisd werd.

Hij keek op zijn telefoon.

Eén nieuw bericht. Sms.

Kom hierheen. M.

Later, toen ze nagloeiend en uitgeput op bed lagen, kroop hij dicht tegen haar knokige billen aan. Ze kronkelde zich om en keek hem aan.

'Blijf uit mijn buurt met die pistoeter van je,' zei ze slaperig, en tastte tussen zijn benen. Hij sloot zijn ogen en glimlachte de glimlach van een bevredigd man. Ze was me er een. Zoals ze zich liet gaan als ze onder hem lag, of op hem zat, alsof ze overal maling aan had.

Ze wreven even hun neuzen tegen elkaar en vervolgens steunde ze op haar ellebogen en keek hem recht aan.

'Heb je er wel eens over gedacht om hier weg te gaan, Jim? Zouden we best kunnen doen, weet je. Je zou een overplaatsing kunnen aanvragen.'

Hij vouwde zijn handen achter zijn hoofd. Hij stonk naar sekszweet, maar ze scheen het niet erg te vinden. Maggie was niet erg preuts.

'Ik kan Conor niet alleen laten,' zei hij.

'Die redt zich vast wel. Hij is geen kind meer.'

Ze pakte zijn hand, de gouden ring om zijn vinger.

'Ik haat het dat je nog steeds met haar naar bed gaat.'

Daar gingen we weer.

'Ik ga niet met haar naar bed. We delen het bed, meer niet. We zijn al jaren niet meer met elkaar naar bed geweest.'

'Toch haat ik het.'

'Je bent zelf anders ook niet bepaald de koningin der trouw.'

Ze draaide weg. Hij wilde haar strelen maar hij dwong zichzelf om te wachten. Hij zou zich niet als een of ander broekie om haar vinger laten winden.

Ten slotte verbrak ze de stilte. 'Ik wou gewoon dat ik wat vaker bij je kon zijn. Alleen dan voel ik me veilig.'

Hij gaf geen antwoord. Ze liet haar hand weer tussen zijn benen glijden.

'Blijf je vannacht slapen? Gunter komt pas om acht uur terug.'

'Ik zou wel willen, maar ik kan niet. Vanavond niet.'

Ze stapte uit bed en liep op haar tenen de trap af. Hij lag op dat vreemde bed, staarde naar het plafond en vroeg zich af of er in de geschiedenis der mensheid ooit zoiets bestaan had als vrije liefde.

De dag dat Jamey zou komen, ging ik met mijn duim omhoog op de hoofdweg naar Ballo staan en speelde roulette met de kentekenplaten, probeerde met pure wilskracht het verkeer tot stilstand te brengen, maar het suisde gewoon voorbij. Na elke auto die voorbijflitste, keek ik op mijn horloge en ijsbeerde mopperend en vloekend over de rijstrook.

Ik stopte mijn haar onder mijn kraag, knoopte mijn jas dicht en probeerde eruit te zien als een respectabel mens. En ik herinnerde me wat Jamey die avond in de rugbyclub gezegd had, dat het allemaal met houding te maken had, dus deed ik mijn schouders naar achteren, stak mijn kin omhoog en keek recht door de voorruit van de volgende auto die eraan kwam. Een donkerrode Toyota stopte zo'n vijftig meter verderop langs de weg.

Ha! Goeie!

Ik draafde eropaf, maar ik zag tot mijn teleurstelling dat de chauffeur een vrouw was. Het moest een vergissing zijn. Eerder die middag was er een andere vrouwelijke chauffeur voor me gestopt en dat was verschrikkelijk geweest: ik rende naar haar auto, opende het portier aan de passagierskant, en haar ogen sperden open, ze begon te gillen en ze bleek helemaal niet voor mij te zijn gestopt, ze had alleen even willen bellen. Ik had geen zin in nog zo'n tafereel, dus ik ging daar staan koekeloeren als een uilskuiken en wachtte of er verder iets zou gebeuren.

De Toyota stond in zijn vrij aan de kant van de weg. Het meisje draaide het raampje naar beneden en riep.

'Kom je nog of niet?'

Ik rende de laatste paar meter en opende het portier.

'Juffrouw Ross,' zei ik.

Ze glimlachte, witgebleekte tanden kwamen tevoorschijn.

'Dacht al dat jij het was. Gezichten onthou ik altijd. Stap in.'

Het portier viel met een klap dicht, verzegelde het vacuüm.

'Sorry, juffrouw,' zei ik, een plaats voor mijn voeten zoekend. 'Ik had niet verwacht dat ik een lift zou krijgen van een vrouwelijke chauffeur.'

Ze keek in de achteruitkijkspiegel terwijl ik de riem vastklikte.

'Noem me maar Molly. Ik stop een jaar lang met lesgeven. Minstens.'

Dat was nieuws. Ik had altijd gedacht dat leraren hun hele leven hetzelfde deden, net als nonnen of gevangenen.

'Weet je wat,' zei ze. 'Laten we doen alsof we elkaar voor het eerst zien. Ik heet Molly Ross.' Ze reikte me haar smalle hand en kneep even in mijn vingers. 'En jij?'

Ik schraapte mijn keel. Wist niet zeker of ik in de maling werd genomen.

'John.'

Ze liet mijn hand los en zette de auto in de versnelling.

'Nou John, waar moet je heen?'

Ik keek door de voorruit naar de wolken, een of ander antwoord gecodeerd in hun inktvlekvormen.

'Naar Ballo Town.'

Ze glimlachte, kuiltjes in haar wangen gegutst.

'Om één te worden met de oceaan? Met de dolfijnen te praten?'

'Zoiets.'

Ze veegde een pluk haar uit mijn gezicht. 'Da's beter,' zei ze, en reikte naar haar tas en pakte er met één hand een zilveren sigarettendoosje en een Zippo uit.

'Sigaret?'

Ze wipte de aansteker open, gaf eerst mij vuur, daarna zichzelf. Mijn mond was droog. Ik had te veel gerookt.

We kwamen langs een paar paaltjes en knarsten over een laagje losse steentjes. Juffrouw Ross minderde snelheid totdat de weg weer glad werd. Ze droeg een wit bloesje ingestopt in een zwarte rok, die tot net boven de knie kwam. Telkens als ze met haar modieuze schoenen op de pedalen trapte kroop de zoom even omhoog. Daar ging hij weer. Doorschijnende blauwe panty. Het was erg heet. Er zat een plastic Jezus met een magneet aan het dashboard vast. Ze zag me ernaar staren.

'Kitscherig, hè?' zei ze.

Er was niks kitscherig aan.

'En,' zei ze, terwijl ze haar half opgerookte sigaret uitdrukte. 'Nog iets interessants gedaan van de zomer?'

Waar moest ik beginnen?

'Niet echt.'

Ze trok haar mond tot een kronkel.

'Je maakt het me niet bepaald gemakkelijk, John. Kom op.'

'Sorry.'

Ze richtte haar aandacht weer op de weg. We kwamen door een dorp, niet eens een dorp, het had geen naam, alleen een rij gebouwen: tankstation, drogisterij, zo'n minimarkt waar je moet betalen door een luikje, als in een postkantoor. Molly Ross schakelde terug, stopte er voor de deur.

'Ben zo weer terug,' zei ze. Ze duwde met haar schouder de deur open en verdween het gebouw in. Een paar minuten later kwam ze terug, ondertussen iets in haar handtas stoppend.

We reden verder. Twee kroegen met een winkel, kwekerijen langs de weg, moesappels te koop. Molly Ross zette het knipperlicht aan. Ik keek haar vragend aan, maar hield mijn mond. De auto draaide van de grote weg af, ging een smal landweggetje in. We knarsten over grind tot we bij een gammel houten hek kwamen. Ze parkeerde de auto en zette de motor af.

'Alles goed met je?' zei ze.

'Uhu.'

Ik had een kikker in mijn keel. Mijn schouders waren stijf. Ik moest zo snel mogelijk in Ballo zien te komen; het was al laat en Jameys trein zou zo aankomen.

Ze draaide zich om op haar stoel en keek me recht in de ogen, mijn wangen begonnen te gloeien. Mijn hele gezichtsveld was met haar gevuld. Haar keurige gezicht deed me denken aan het stukje in *Harpers Compendium* waarin wordt uitgelegd waarom mensen een symmetrisch gezicht aantrekkelijk vinden. Als beide helften van iemands gezicht min of meer elkaars spiegelbeeld zijn wordt dat gezien als een teken van goede gezondheid en wordt diegene geschikt geacht voor de voortplanting. Darmparasieten zouden maken dat het gezicht scheeftrekt.

Molly Ross bleef me aanstaren. Ik keek terug. Ze legde haar hand op mijn been en leunde naar me toe.

'Val je wel een beetje op me, John?'

Ik probeerde iets te zeggen, maar er kwamen geen woorden uit mijn mond, alleen dat krakend keelgeluid.

'Geeft niet, hoor,' zei ze. 'Je hoeft geen antwoord te geven.'

Ze drukte haar mond op de mijne en haar tong glipte tussen mijn lippen. Haar adem smaakte naar tic tacs. Achter haar schouder stond de plastic Jezus met zijn palmen omhoog, een gebaar dat waarschijnlijk bedoeld was als een uitdrukking van barmhartigheid, maar in deze context leek het alsof hij wilde zeggen *Wat doe je eraan*?

Er kwam een geluid uit mijn keel; Molly Ross hield op met zoenen.

'Weet je zeker dat je dit wilt?'

Ik knikte. Ze begon me weer te zoenen, dwingender nu, en knoopte ondertussen van alles los. Mijn handen flapperden wat rond en mijn buik trok zich in toen haar vingers daar begonnen rond te tasten waar ik nog nooit in mijn leven was aangeraakt, en mijn hart ging gabba-gabba speed metal dubbele bassdrum en mijn armen en benen begonnen te trillen.

Ze greep in haar tas en wurmde er een doosje condooms uit met een plaatje van een zeilboot erop, duwde mijn rugleuning achterover en klom op me. Ik klauwde onhandig aan haar bloes en ze maakte haar bh aan de voorkant los en toen hingen er haren en bh-loze borsten in mijn gezicht. Ze morrelde het doosje condooms open, schudde er een uit, scheurde de verpakking eraf en kneep de lucht uit het speentje. Ze haalde me uit mijn broek tevoorschijn en rolde het kapotje eroverheen, rukte haar panty en slipje naar beneden en besteeg me, loodste me naar binnen, haar hele gewicht op me.

Onze geur vervuilde de lucht in de auto. Een stem babbelde in mijn achterhoofd.

De mijnworm heeft scherpe tanden, die hij gebruikt om haarvaten door te bijten en darmen op te vreten, waarbij hij zijn gastheer injecteert met een antistollingsmiddel.

Haar achterste maakte een zuigerbeweging.

Of een draadworm. Draadwormen worden soms aangetroffen in de vulva, de baarmoeder en de eileiders omdat ze soms de weg naar de anus kwijtraken nadat ze hun eitjes hebben gelegd.

Ze spreidde haar handen uit over het dashboard en stootte haar onderlijf tegen mijn bekken.

De Zuid-Amerikaanse candiruvis heeft scherpe botjes met stekeltjes rond zijn kop. Hij volgt de geur van urine in water en zwemt de urinebuis van de zwemmer in. Hij zwemt in de penis van het slachtoffer omhoog, zet zijn stekels uit en zuigt bloed, en neemt daarbij in omvang toe.

Onze lijven maakten petsgeluiden. De plastic Jezus bekeek het allemaal, handpalmen omhoog.

De enige remedie is een dure operatie waarbij de xaguaplant en de buitachappel in de urinebuis worden aangebracht, die de candiru doden en vervolgens oplossen. Voor mensen die zich deze operatie niet kunnen veroorloven, is amputatie de enige remedie.

Ik zat op het randje. Ik moest denken aan de mop die Fintan verteld had over Sneeuwwitje die op het gezicht van Pinochio zit en lieg-lieg niet-lieg-lieg niet-lieg-lieg niet kreunt, en op de een of andere manier werd ik daar nog opgewondener van. Mijn eigen Pinochioneus leek met elke haal langer te worden en het gevoel kwam over me heen en ik liet het gebeuren, terwijl ik dacht: *nu ben ik een echte jongen.*

Molly Ross voelde de siddering en schakelde naar een hogere versnelling, *fuck-fuck-fuck-fuck,* ze ramde haar achterste op mijn voorste, maar ik was al leeggelopen. Ik werd rubberachtig en lusteloos daar beneden, en het deed een beetje pijn.

Ze stopte met bewegen, liet haar hand voorzichtig naar beneden glijden en trok me uit zich, klom van me af en plofte neer op de bestuurdersstoel.

'Sorry,' mompelde ik.

'Geeft niet.'

Ze haalde een pakje zakdoekjes uit haar handtas, depte haar onderstel af en trok haar panty weer op.

'Eerste keer, hm?'

'Ja.'

Ik voelde me raar en een beetje misselijk. Ik wilde naar huis, maar ik kon nu niet meer terug.

'Trek het je niet aan,' zei ze. 'Het wordt alleen maar beter.'

Ze draaide het raampje naar beneden, trok voorzichtig het condoom van me af en gooide het in de greppel, waar het bleef hangen aan een doorntak, verslapt en verlept. Hetzelfde met de zakdoekjes, en daarna startte ze de motor en keerde. We hobbelden het landweggetje af en terug de grote weg op. Ze woelde even door mijn haar. Ik glimlachte flauwtjes, ritste mijn gulp dicht en gespte mijn riem vast.

'Hé,' zei ze. 'Komt allemaal goed.'

De onverwachte vriendelijkheid in haar stem deed mijn ogen prikken. Alles werd opgeslokt door de stilte. Ik zei niets meer tot we in Ballo aankwamen. Ze stond erop me helemaal naar het station te brengen, ondanks dat het voor haar een omweg was.

Toen ik uitstapte, leunde ze over de passagiersstoel heen en kneep in mijn arm. Ik voelde me alleen maar verdrietig en ik had heimwee.

Ik keek haar na toen ze wegreed, de nabije toekomst in.

Het treinstation was verlaten. De digitale dienstregeling boven het perron gaf aan dat er pas de volgende ochtend weer een trein zou komen. De hemel achter de bergen begon rood te kleuren; nog een paar uur en dan zou het donker zijn en mijn kans om een lift naar huis te krijgen verkeken. De hele dag was voor niets geweest.

Ik verliet het station en liep over de krakende houten steiger in de dreigende schaduw van een roestkleurige treiler, die was afgemeerd met kreunende touwen zo dik als lianen in de jungle. Rubberbootjes en roeibootjes botsten tegen de steunpilaren van de steiger. Aan de andere kant van de baai, tekenden zich de silhouetten af van hijskranen en graafmachines, en in het natriumlicht gloeiden grote witte containers geel op als lugubere noodgebouwtjes.

Ik walgde van de wereld en stak een sigaret op.

Aan de overkant van de straat kwam een auto grommend het leven binnendenderen. Hij maakt een U-bocht reed stapvoets verder langs de stoeprand. Het achterraampje ging naar beneden en Gunter Prunty stak zijn dikke kop naar buiten.

'Stap in.'

Fintan zat achter het stuur, Davy in elkaar gedoken op de achterbank, aan de andere kant. Ik tipte as van mijn sigaret en staarde naar het gloeiende puntje. Het vooruitzicht om met die drie in de auto te zitten was niet bepaald aantrekkelijk, maar ik wilde ook niet in Ballo vastzitten.

'Oké.'

Ik gooide de sigaret weg. Gunter duwde het portier met zijn schouder open en stapte uit om mij erin te laten. Davy schoof een eind op en staarde uit het raam. De auto stonk naar skunk en koeienstront. Fintan draaide zich om.

'Wel een beetje krap, hè?' zei hij. 'Maar we hebben een vrachtje bij ons.' Hij gaf een klopje op een van de kunstmestzakken die op de passagiersstoel en de bodem gestapeld waren.

De auto draaide de weg op en stoof Ballo uit. Fintan zette de radio aan en sloeg op de voorkeuzeknopjes. Popliedjes en vleugjes klassieke muziek. Verkeersberichten. Advertenties voorgelezen door mensen die rapper praatten dan een veilingmeester. Twee tikken van een stok op een snaredrum en een ceilidhband stortte zich hals over kop in een jig of reel. Fintan zette het zo hard dat de boxen rammelden. Ik werd duizelig van de rook en de herrie. Ik realiseerde me dat ik de hele dag niet gegeten had.

We scheurden de hoofdweg naar Kilcody op, met schallende fiedelmuziek. Fintan reed als een maniak, nam de bochten met roekeloze snelheid. Af en toe nam hij beide handen van het stuur om zijn paardenstaart aan te trekken, en stuurde met zijn knieën. Gunter stak een joint op en gaf hem door aan Davy. De stank was overweldigend. Door de voorruit kon je de gebroken witte lijn onder de voorkant van de motorkap zien verdwijnen als een tractor beam die ons naar huis toe trok. In de verte verschenen de lichtjes van Kilcody. Ik probeerde ze met heel mijn wil dichterbij te halen.

We kwamen aan het eind van een lang stuk rechte weg en reden hard op een haarspeldbocht af. De joint kwam bij mij langs. Ik nam een paar trekjes en gaf hem over de hoofdsteun door aan Fintan. Met zijn blik strak op de aankomende bocht gericht, reikte hij naar achteren om de joint aan te nemen en sloeg hem uit mijn vingers waardoor hij naar beneden tuimelde en op zijn schoot terechtkwam terwijl de vonken ervanaf vlogen. Hij gaf een gil en graaide tussen zijn benen, de auto slingerde over de weg. Zijn elleboog stootte tegen de volumeknop van de radio en de ceilidhmuziek sprong naar een oorverdovend niveau. Koplampen seinden. Een tegemoetkomende auto doemde op in de voorruit en schoot toeterend langs ons heen. We slipten door de bocht, scheerden vlak langs de greppel, maar slaagden er op de een of andere manier in op de weg te blijven. Fintan vond eindelijk de joint en stak hem in zijn mond. Hij schakelde de radio uit en wierp een woeste blik over zijn schouder.

'Je had zowat mijn ballen afgebrand, jongeman.'

'Hou daar maar over op,' zei Davy. 'Volgens mij was dat een politiewagen.'

'Maak het nou.'
'Nee, serieus.'
Fintan draaide zich vlug om, zijn ogen wijd open.
'Als je me voor de gek houdt, wurg ik je.'
'Volgens mij heeft ie gelijk,' zei Gunter. 'Ik dacht ook dat het een politiewagen was.'
Fintan keek in de achteruitkijkspiegel, paniek spreidde zich uit over zijn gezicht als bloed uit een wond.
'Als ze me pakken, ben ik de lul,' zei hij. 'Ik heb een rijverbod. Ik hoop dat je kameraad dienst heeft, Gunter.'
Davy draaide zich om en tuurde door het raster van de achterruitverwarming.
'Zal ik dit stickie uit het raam smijten?' zei hij.
'Nog niet,' zei Gunter, met een stalen gezicht.
Fintan schakelde de lichten uit en omarmde het stuur. Hij trapte het gaspedaal helemaal in, zijn neus bijna tegen de voorruit. We denderden door de schemering, de snelheidsmeter wiebelde boven het streepje van de honderd kilometer.
Vlak voordat we aan de rand van de stad waren, zette Fintan de lichten weer aan en draaide rechtsaf de kustweg op.
'Je kunt me hier wel afzetten,' zei ik. 'Ik moet de andere kant op.'
'We stoppen nergens voordat we bij het slachthuis zijn,' zei Fintan.
Een paar kilometer verderop reden we een landweggetje in en rammelden over de stangen van een wildrooster een braakliggende kale vlakte op. Het oude slachthuis was niet veel meer dan een primitieve schuur gemaakt van stukken golfplaat van verschillende grootte, het gammele dak geïsoleerd met een rafelige verzameling viltlappen, het enige raam verduisterd met gescheurde plastic zakken. Doornstruiken staken boven een omheining van kippengaas uit.
We wachtten, oren gespitst in de stilte. Geen politiewagen.
Fintan trok de handrem aan en zette de radio hard. Iemand

zei iets op zijn Iers en daarna begon een of andere ouwe vent een *sean nós*-melodietje te zingen. Gunter stapte uit en greep een van de kunstmestzakken. De andere twee deden hetzelfde en ze sleepten de zware zakken naar de deur van het slachthuis. Ik maakte aanstalten om mee te helpen, maar Fintan beval me om te blijven zitten waar ik zat. De klaagzang van de sean nós dreunde verder.

Fintan leunde naar binnen en maakte de kofferbak los.

'Kom hier,' zei hij.

Ik volgde hem naar de achterkant van de auto. Hij zwaaide de klep open.

Jamey was vastgebonden als een beest. Zijn lichaam lag ingeklemd tussen het reservewiel en de krik. Zijn mond was verzegeld met een stuk gaffa en zijn handen waren aan elkaar gebonden met paktouw, dat zijn polsen gemeen rood schuurde. Zijn bril stond kromgebogen op zijn neus en zijn ogen puilden uit als die van een opgeschrikt paard.

Opeens werd alles uitvergroot. Ik trok de tape van Jameys mond en probeerde hem uit de auto te tillen, maar er explodeerde iets tegen mijn hoofd en mijn oren tuutten. Ruwe handen rukten mijn armen achter mijn rug en duwden me op de grond, gezicht naar beneden, mijn borstkas tegen het harde beton gedrukt. Bloed lekte mijn keel in, de zure smaak van ijzer. Fintan zat met zijn knieën op mijn rug en ik kon nauwelijks lucht krijgen.

Gunter doemde boven ons op, zwijgend als een menhir. Hij greep Jamey bij zijn nekvel, hees hem uit de auto en bleef even stilstaan. Het leek alsof hij zijn opties overwoog.

Davy stond zijn spieren los te maken, draaide zijn schouders rond.

'Gaan we het nou doen of niet?' zei hij.

Op de autoradio holde een huilerige viool een of ander lamentabel liedje uit.

Gunter kuste de knokkels van zijn rechterhand en haalde

uit. De stoot klonk alsof iemand een riem liet knallen. Jameys hoofd vloog achterover en hij zakte door zijn knieën. Davy ving hem op, omklemde zijn armen alsof hij een stootzak vasthield. Gunter bleef op hem inhakken. De doffe, misselijkmakende klappen, naar adem snakken en verraste geluiden weerklonken in de kalme zomeravond.

Ze hadden geen haast, dat was het ergste. Het ging alsmaar door, totdat Gunter was uitgeput. Buiten adem zette hij zijn handen op zijn knieën, zijn gezicht rood aangelopen van de inspanning.

'Genoeg?' hijgde hij. Een zweetdruppel biggelde van het puntje van zijn neus. Mijn nek, verdraaid om te kunnen zien wat er gebeurde vanuit mijn gunstige positie op de grond, deed zeer.

Jamey gaf geen antwoord. Bloed sijpelde over zijn kin en zijn lippen waren een en al sneeën en barsten. Hij spuugde een kwak bloederig speeksel op de grond.

'Ik neem aan dat je dus bedoelt van wel,' zei Gunter, trok een pijp van zijn jeans op en haalde een jachtmes uit zijn laars vandaan. Het lemmet reflecteerde een scherf van het afnemende zonlicht. Jamey volgde het met zijn ogen, zijn adamsappel ging op en neer. Het werd overal stil, zelfs de muziek stopte even. Toen galmde er, vanuit de auto, een vrouwenstem, zuiver en zonder begeleiding.

Black is the colour...

Gunter greep Jameys polsen, sneed het paktouw door en zette meteen een stap naar achteren.

'Kleed je uit,' zei hij.

Jamey wreef over zijn polsen en veegde bloed van zijn gezicht met zijn mouw.

'Sodemieter op, man,' zei hij.

Gunter haalde met het lemmet een haarlok voor Jameys ogen weg.

'Doe het. Tenzij je gekortwiekt wilt worden.' Hij trok een

streep door het bloed en het vuil, helemaal over Jameys wang. 'Of een facelift wilt hebben.'

Jamey hield zich volkomen stil, alsof hij geen woord gehoord had.

Gunter brulde: 'Nu!'

Met stuntelige handen trok Jamey zijn kleren en zijn gympen uit. Gunter schopte de kleren op een hoop. Hij plaatste zijn voeten uiteen, ritste zijn gulp open, haalde zichzelf tevoorschijn en begon er overheen te pissen. Stoom steeg op, trok muggen aan. Toen hij uitgepist was schudde hij zich af.

'Meer dan drie keer schudden is een zonde,' zei Davy.

Gunter trok zijn rits dicht.

'Ga verdomme in die fucking auto zitten, Dave.'

Fintan trok zijn knie van mijn rug af. Ik probeerde mezelf overeind te duwen, maar hij deed alsof hij tegen mijn hoofd wilde schoppen, lachte toen ik terugdeinsde, en staarde me even strak aan, alsof hij me uitdaagde om me nog eens te bewegen. Zijn ogen waren koud en zielloos, totaal leeg.

'Kom op, Fin,' snauwde Gunter.

Ze namen alle tijd om in de auto te stappen. Ik verwachtte half dat ze van gedachten zouden veranderen en er nog een tweede keer op los zouden slaan, maar uiteindelijk gooiden ze de autodeuren met een knal dicht, startten de motor en ronkten het hek door, het wildrooster over. Het geluid van de motor stierf weg en het enige wat achterbleef was een geladen, gespannen stilte.

Jamey zakte op zijn hurken, wankel als een kalf. Hij was bleek van schrik en zijn naakte lichaam zag er schriel en kwetsbaar uit. Ik deed mijn jas uit en gaf hem mijn lange houthakkershemd. Met trillende handen knoopte hij het rond zijn middel. Het hing als een rok naar beneden.

'Sigaretten bij je?'

Het klonk alsof hij een paar tanden had laten trekken. Had drie lucifers nodig om er een aan te steken.

'Sorry, man,' zei ik. 'Dit is mijn schuld.'

'Sorry zeg je?'

Op zijn hurken zittend als een oermens richtte hij zijn blik nors op de grond tussen zijn blote voeten en keek vervolgens door de rook naar me op, één oog al bijna dichtgezwollen.

'Waar hebben ze je gevonden?' zei hij.

'Bij het treinstation.'

Hij knikte.

'Pech.'

'Jamey, ik moet je iets vertellen.'

Hij schudde zijn hoofd.

'Dat hoeft niet.'

Hij keek me strak in de ogen. Misschien had hij het van Canavan gehoord. Of van Gunter. In elk geval wist hij het.

Hij spuugde op de grond en zei: 'Da's verleden tijd, man. Pis in een rivier.'

Hij kwam overeind, huiverde even.

'Maar één ding wil ik wel weten,' zei hij. 'Die nacht in de kerk. Wat bezielde je?'

Ik schudde langzaam mijn hoofd en haalde mijn schouders op.

'Weet ik niet. Ik kan me er niets van herinneren. Behalve wat ze me op de video hebben laten zien.'

Jamey knikte en bewoog zijn onderkaak heen en weer, alsof hij wilde controleren of die nog steeds aan zijn hoofd vastzat.

'Nou,' zei hij, 'het was toch niet niks. Je ging tekeer als een gek, man. Ik dacht dat je het hele dorp wakker zou maken.'

'Waarom hield je me niet tegen?'

'Ik was nogal in shock. En bovendien,' grijnsde hij, 'kreeg ik prima materiaal voorgeschoteld. Je gooide de kelk tegen het kruis en begon helemaal door te draaien, gooide beelden om, duwde banken overhoop en meer van die dingen. Heilige communie overal. Toen werd je gezicht helemaal wit. Of meer groen, eigenlijk. Je kotste het hele altaar onder.'

'Ze zeiden dat het...'

'Weet ik. Maar dat was het niet. Nadat je jezelf had leeggekotst, rende je ervandoor. Ik ging achter je aan, maar ik vergat de camcorder. En de tape.'

'Sorry, man.'

Jamey keek me weer in de ogen.

''t Is gebeurd.'

As viel van het puntje van zijn sigaret. Je kon de hitte van de hele zomer in de grond voelen zitten.

Hij blies rook de lucht in en grinnikte.

'Balinbagin was net een vakantiepark, man. Ik heb alleen maar geschreven. Jij bent degene die vast heeft gezeten. Ik hoorde dat je je belabberd voelde. Dat vond ik wel vertederend.'

Hij schoot zijn sigaret weg.

'Weet je, ik heb hier de hele zomer op gewacht. Was er bang voor. Nu is het gebeurd.'

'Hoe wist je wat er zou gaan gebeuren?' vroeg ik.

Hij boog zich over de stapel bepiste kleren en haalde geld en sleutels uit zijn spijkerbroek.

'Omdat het al eens eerder gebeurd is,' zei hij. 'Had ik van Gunter gehoord.'

Hij grabbelde in zijn jasje en haalde er een opgevouwen bundel papier uit.

'Hier,' zei hij, en gooide hem naar me toe. 'Lees maar als je thuis bent.'

De papieren waren voor een deel vochtig, maar nog steeds leesbaar. Ik stopte ze in mijn achterzak.

Jamey stak zijn hand uit. Ik schudde hem zonder precies te weten waarom.

'Pas goed op jezelf,' zei hij en begon stijf het terrein over te lopen.

'Waar ga je heen?' vroeg ik.

'Gewoon weg. Niks tegen Dee zeggen. Doe maar alsof je

van niks weet, hoe hysterisch ze ook doet. Ik bel haar zo gauw ik kan.'

Hij liep langzaam over het wildrooster. Voordat hij verdween in de avondschemering riep hij: 'Ik stuur wel een kaartje.'

Toen was hij verdwenen, en het enige wat ik van hem overhad waren zijn verhalen.

De oude kraai kent het verhaal. Het ontvouwt zich allemaal voor zijn ogen als een reeks fragmenten van een stomme film. Figuren maken hortende en stotende bewegingen, maar wat er ook gebeurt hij mengt er zich niet in, want in zijn uitgehongerde vogelbrein zijn alle sterfelijke gebeurtenissen slechts dromen van wat er gebeurt. Zelfs een kraai weet dat je in een droom niets kunt veranderen maar slechts kunt toekijken met een gereserveerdheid die zowel minzaam als vijandig is, als een verveelde god, of een verveelde boodschapper van God.

VIII

Mijn moeder lag al in bed tegen de tijd dat ik thuiskwam. Ik was zo moe en had zo'n pijn overal dat ik de trap niet op kon komen, dus plofte ik neer in haar leunstoel en haalde Jameys papieren uit mijn zak. Ze stonken en ik moest de vellen voorzichtig van elkaar peuteren om ze te kunnen lezen. En misschien verkeerde ik in een shock, maar toen ik zijn woorden las wist ik niet of ik moest lachen of huilen of allebei tegelijk.

Balinbagin Jeugdinrichting
7 Priory Road
Balinbagin

John,

Ik was niet meer van plan om te schrijven (het is moeilijk op te brengen als de correspondentie zo'n eenrichtingsverkeer is) maar er is zoiets mafs gebeurd. Je moeder kwam vanmorgen bij me op bezoek. Ze vroeg me om het niet door te vertellen, maar je kent mij, ik kan mijn bek niet dichthouden. Ik dacht dat ze misschien zou gaan vissen naar informatie over de betrokkenheid van een bepaald iemand bij je-weet-wel, maar we hebben het er niet eens over gehad. Ze vroeg alleen of ik goed te eten kreeg en of ik me een beetje wist te gedragen. Ze bleef ongeveer een halfuur, luisterde naar mijn gezwets en ging toen weer weg. Ik weet nog steeds niet wat ik ervan moet denken.

Maar goed, nu ik je toch aan het schrijven ben, kan ik je net zo goed mijn nieuwste verhaal toesturen. Ik schud ze zo uit de mouw tegenwoordig – komt vast door de kunstminnende omgeving. Ik hoop dat je ze op een veilige plek bewaart, misschien zijn ze ooit geld waard.

Spreek je.

JC

De **hoorndrager**
Door **Jamey Corboy**

Gunter Prunty was een grote kerel, en niet snel bang. Als jongen op school draaide hij er zijn hand niet voor om om jongens af te tuigen die drie of vier jaar ouder waren dan hij. Zelfs de leraren waren een beetje bang voor hem. Maar voor één ding was Gunter banger dan voor wat ook, en dat was om op te moeten staan in de Engelse les om hardop voor te lezen. Het reduceerde hem, die boom van een vent, tot een stotterend en blozend hoopje ellende.

Gunter was niet bepaald een geletterd mens. Hij had nog nooit van zijn leven een boek gelezen. En toch, op de oude wijze leeftijd van zevenentwintig, slecht geschoold, zonder zijn eindexamens te hebben afgerond, raakte hij gefixeerd door een woord dat hij ergens gehoord had. Geen alledaags woord bovendien. Het bleef in zijn hersens steken als een vishaak.

Hoorndrager.

Misschien had hij het op tv of in een film gehoord. Hij wist niet honderd procent zeker wat het betekende, maar hij voelde wel degelijk aan dat het iets te maken had met wat er tussen hem en Maggie speelde, dus op een avond in Donahue's vroeg hij het aan die ene gozer, Corboy, die zichzelf nogal een wetenschapper waande. Toen Corboy het hem vertelde, dacht

Gunter dat ze in plaats van dat woord net zo goed zijn politieportret hadden kunnen afdrukken in het woordenboek.

Hoorndrager.

Hij kon het bijna proeven. Hij bevoelde het met zijn tong als een rotte tand. Sprak het op verschillende manieren uit. Speelde er woordspelletjes mee.

Hoorndrager.

De koe bij de hoorns pakken. Van achteren gepakt door een andere man in een triootje. Een neuksandwich, met Maggie als beleg.

Die meid had werkelijk zijn hart uiteengereten.

Hoorndrager.

Ook wel cocu of koekoek. Vogel erin, vogel eruit.

Koekoek-koekoek-koekoek.

Het rare was dat Gunter diep vanbinnen, op een geheim, smerig plekje dat hij bijna niet durfde te erkennen, *opgewonden* werd van haar escapade, want alles was beter dan zich te vervelen, en hij en Maggie verveelden zich meestal te pletter samen. Ja, de jaloezie woekerde in hem als een kankergezwel, maakte hem woedend. Maar tegelijkertijd kreeg hij clandestiene rillingen bij de gedachte aan haar met een andere man. Soms lag hij zich suf te rukken in bed, stelde zich haar gezicht voor, verwrongen van genot, wriggelend onder een of andere hijgende hoerenloper. Maar daarna, als zijn ejaculaat tot een korst begon op te drogen, schaamde hij zich altijd en vond zichzelf maar zielig.

De eerste avond dat ze elkaar ontmoetten, kwam ze net vers van de boot uit Engeland, zonder plannen om terug te gaan. 'Ik heb genoeg van klootzakken,' zei ze tegen hem toen de drank haar loslippig had gemaakt. 'Knappe klootzakken. Lelijke klootzakken. Harde klootzakken. Zachte klootzakken. Mijn hele leven, alleen maar klootzakken. Ik verspreid kennelijk een bepaalde geur die ze aantrekt.'

Gunter kon ook een klootzak zijn als dat zo uitkwam, maar

bij Maggie was hij altijd zo zacht als boter, zelfs als ze dingen naar hem smeet, of als ze hem met haar vuisten bewerkte en hij zijn handen in zijn zakken moest stoppen om niet in de verleiding te komen terug te slaan. Zelfs toen ze laat thuis begon te komen en naar Donahue's rook.

Op een keer kroop ze na zo'n avond bij hem in bed en in plaats van dat ze zich door hem liet bestijgen, legde ze haar hand op zijn hoofd en duwde hem kalm maar gedecideerd tussen haar dijen. Gunter was enigszins geschrokken en wist niet zeker wat hij moest doen, maar hij waagde het erop en begroef zijn gezicht in haar grove haren, haar vrouwengeur. Aanvankelijk kronkelde en kreunde ze en maakte jammerende geluiden en dat gaf hem moed. Hij bleef lange tijd daar beneden, zijn tong pijnlijk en verkrampt, wangen prikkend van haar vocht. Maar toen hij ten slotte zijn hoofd optilde, was ze in slaap gevallen.

Hij brak er zich het hoofd over maar kon niet precies vaststellen wanneer hij voor het eerst iets achterbaks vermoedde. Het was gewoon een instinct, een voorgevoel. Soms als hij haar op de mond zoende, vroeg hij zich onwillekeurig af wat ze daar de laatste tijd in had gehad.

Maar zelfs toen de late avonden frequenter werden en zijn vermoeden veranderde in overtuiging, aarzelde hij om haar erop aan te spreken. Hij was eigenlijk wel nieuwsgierig naar hoe dit alles zich zou ontwikkelen. Hij wachtte tot laat in de avond in de keuken, licht uit, dronk het ene glas whisky na het andere in een poging om dat duizelige, misselijkmakende gevoel in zijn maag te blussen. Hij raakte verslaafd aan dat gevoel, verslaafd aan het blussen ervan. Hij dronk en rookte en dronk en rookte en piste tegen de muur van de achtertuin en vroeg de regen wat het verdomme voor zin had, maar de regen wist van niets, siste en druppelde alleen maar.

's Nacht lag hij wakker in bed om te luisteren hoe ze binnensloop als een zwerfkat. Als ze de slaapkamer in kroop, deed hij alsof hij sliep en op het moment dat ze dacht dat ze ermee wegkwam, zei hij iets hardop, zijn luide stem dwars door de duisternis, waardoor zij zich wild schrok. Dan vroeg hij waar ze geweest was, niet omdat hij de waarheid wilde weten, maar omdat hij haar de leugens wilde horen opzeggen die ze had voorbereid.

Later begon hij stiekem haar jas en haar tas te doorzoeken. Hij keek haar sms'jes door als ze sliep of in bad zat. Hij snuffelde rond in de slaapkamer. En toen hij bewijs vond, lag het op zo'n voor de hand liggende plek dat hij zich afvroeg of ze betrapt wilde worden. Een doosje Durex onder in de la met haar ondergoed. Gunter gebruikte nooit condooms. Alsof je door een muilkorf eet, zei hij altijd.

Hij schudde de kapotjes uit op de beddensprei, met trillende handen, een zure metaalachtige smaak in zijn mond. Van een doosje van twaalf waren er acht over. Hij ijsbeerde door de flat, misselijk en opgewonden. Hij schonk een groot glas whisky in en probeerde het zich te herinneren, de tijden, de data, probeerde na te gaan wat hij aan het doen was geweest terwijl zij met de grote onbekende lag te neuken. Op zijn werk misschien. Of de flat aan het schoonmaken omdat zij te moe of te beroerd was om het zelf te doen. Het bad in de bleek aan het zetten, de wc aan het schrobben, met van die gele rubber handschoenen aan. Afhaalmaaltijden aan het eten voor de tv omdat ze nooit meer kookte, proberend dat onbehaaglijke gevoel in zijn maag te bedelven onder een lekkere vette hap. Steak en kidney pie. Een burger met friet. Kipnuggets met saus. Vogel erin, vogel eruit.

Koekoek-koekoek-koekoek!

Hij schonk net zijn derde glas whisky in toen hij de sleutel in het slot hoorde. Zijn maag draaide zich ondersteboven. Maggie kwam de keuken binnen, keek nog eens goed toen ze de fles zag.

'Beetje vroeg, of niet?'

Hij duwde de fles weg.
'Zeg eens hoe hij heet.'
Ze zette de waterkoker aan.
'Hoe wie heet?'
'Hij, Maggie. Ik heb de condooms gevonden.'
Ze deed haar armen over elkaar.
'Gunter, ben je knetter of zo?'
'De condooms. In je fucking *la*.
Ze probeerde van onderwerp te veranderen, wilde weten wat hij wel niet dacht om door haar spullen te gaan. Ze probeerde hem wijs te maken dat de condooms van haar vriendin June waren, maar hij onderbrak haar en brulde: '*Probeer me verdomme niet nog meer voor paal te zetten!*' en ze barstte in tranen uit, maar de waterlanders maakten hem alleen nog kwader. Hij keek naar zijn handen. Ze trilden alsof hij de avond ervoor hevig gedronken had. Hij probeerde zichzelf tot bedaren te brengen, probeerde zijn woede in te slikken, voelde die branden in zijn maag. Hij keek naar Maggie, haar gezicht verkreukeld, een pruillip als van een kind. Hij dwong zich ertoe naar haar toe te gaan en haar te omarmen en een man te zijn.
'Zeg me hoe hij heet,' zei hij zacht.
Ze schudde haar hoofd.
'Dat kan ik niet, Gunter. Alsjeblieft, hou op.'
'Je maakt het alleen maar erger.'
'Hou op.'
Maar hij hield niet op. Hij bleef doorgaan totdat hij haar zover had.
'Als ik het zeg,' zei ze, terwijl ze met haar mouw haar gezicht afveegde, 'beloof je dan dat je niets doet?'
Gunter legde zijn grote handen op haar schouders.
'Dat beloof ik.'
'Alsjeblieft Gunter. Ik zou er niet tegen kunnen.'
'Ik zweer het. Zeg op nu.'
Ze slikte. Keek naar de grond.

'Jude.'

'Jude hoe?'

'Udechukwu.'

Hij stond met de mond vol tanden.

'Wat is dat nou voor een naam, verdomme?'

Ze wreef in haar ogen met de muis van haar handen. Haar mascara was helemaal uitgelopen.

'Nigeriaans.' Ze begroef haar gezicht in haar handen. 'Het spijt me.'

Het kwam er gedempt uit.

Gunter zakte zwaar op een stoel neer, alsof hij hard in zijn maag was gestompt. *Zo voelt het dus als iemand je hart breekt,* dacht hij. *Je voelt het in je maag, niet in je borstkas. Je moet ervan kotsen.*

De whisky smaakte bitter en hij was zo duizelig dat hij dacht dat hij onderuit zou gaan. Hij legde zijn hand op tafel om zich in evenwicht te houden.

'Zit,' zei hij, alsof hij het tegen een hond had. Hij liep naar de kast en haalde er nog een glas uit, gooide er whisky in en duwde het naar haar toe.

'We zijn nog niet uitgepraat.'

Ze sloeg het achterover.

Hij schonk opnieuw in. Verdovingsmiddel.

'Ik wil details horen.'

'Details?'

Haar blik was vernietigend, maar haar stem verraadde haar angst.

'Alles.' Hij pakte haar mobiel uit haar tas en zette hem uit. 'Echt. Helemaal. Alles.'

En hij begon haar nog meer vragen te stellen. Hij hield niet op, niet voordat hij op de hoogte was van elk pornografisch feit. De antwoorden deden pijn, maar toch moest hij alles weten.

Wie weet er nog meer van?

Wanneer hebben jullie voor het eerst gezoend?
Gebruikte hij zijn tong?
Hoe diep?
Laat zien. Met je vinger.
Heb je je voor hem uitgekleed, of moest hij het licht van je uitdoen, net als ik?
Maakte je geluiden terwijl je het met hem deed?
Wat voor soort geluiden? Doe eens voor.
Stopte hij hem er zelf in of stopte jij hem er voor hem in?
Heb je hem in je mond gehad?
Kwam hij klaar?
Moest je kokhalzen?
Heb je het uitgespuugd?
Of doorgeslikt?
Was hij groter dan die van mij?
Het ging maar door totdat ze instortte en op haar moeders graf zwoer dat ze de vent nooit meer zou zien. Gunter wuifde haar weg, vol afkeer, en ze vluchtte naar de slaapkamer.
Hij belde Fintan en Davy op en zei dat ze naar Donahue's moesten komen.
'Eerst wil ik weten,' zei Gunter tegen hen, 'naar welke kroeg hij gaat. Kom dan weer terug bij mij. Ik wil die schoft niet alleen pijn doen. Ik wil hem goed bang maken ook.'
Fintan grinnikte toen hij opstond om te gaan.
'Udechukwu,' zei hij. 'Wat een naam.'
Ze lieten Gunter aan de bar zitten met zijn lelijke gedachten, die stuk voor stuk gereduceerd hadden kunnen worden tot één enkele naam, herhaald als een mantra terwijl hij zich steeds meer opfokte.
Udechukwu, Udechukwu, Udechukwu...

Twee dagen later, toen Jude Udechukwu op zijn werk kwam in het tankstation, ging hij, zoals altijd, naar zijn locker om zijn overall aan te trekken. De deur van de locker vloog open toen hij het handvat beetpakte. Er lag een kippenpoot in, besmeurd met bloed.

De volgende dagen liepen Gunter en Maggie op hun tenen langs elkaar heen, behoedzaam hun weg zoekend over onbekend terrein. Ze vermeden het onderwerp van haar onbezonnenheden, bang dat het zou uitdraaien op een ruzie waar geen van beiden zin in had. Maggie bracht het grootste deel van haar tijd slapend door. Als ze nog langer in haar nest blijft, dacht Gunter, krijgt ze straks bedzweren. De vaat stapelde zich op in de gootsteen. Er was niets te eten. Hij strooide net wat muffe cornflakes in een steelpannetje, toen zijn telefoon ging. Davy, vanuit Donahue's.

'Volgens mij heeft ie het nog niet helemaal door,' zei Davy. 'Hij is hier, in z'n uppie. Ik snap niet wat ze in hem ziet. Zo'n miezerig klein mannetje.'

Gunter zei wat hij moest doen en hing op.

Maggie slofte de keuken in, nog steeds in haar slobberkleren, een baggy sweater met capuchon en een legging.

'Wie was dat?'

Gunter zette zijn voet op het pedaal van de afvalemmer en dumpte de cornflakes in de stinkende vuilniszak.

'Davy.' Hij zette de steelpan boven op de stapel serviesgoed. 'Ik ga er een met hem drinken in Donahue's.'

'Oké.'

'Dat dacht ik verdomme wel, ja.'

Maggie kromp ineen alsof ze een klap had gekregen, alsof ze de waterlanders weer zou laten vloeien. Gunter keerde haar de rug toe, trok zijn jack aan en liep naar buiten. Hij trapte zijn motor aan en ronkte weg, de oude kustweg af richting het verlaten slachthuis.

Ze sloegen hem helemaal in elkaar. Sloegen hem tot hij begon te krijsen, voortdurend bezwerend dat hij onschuldig was, maar ze negeerden zijn gepiep en gingen door met hem pijn te doen alsof het gewoon hun werk was. Op een gegeven moment merkte Gunter dat hij een stijve had en hij wilde ophouden en weggaan en erover nadenken wat dat betekende, maar de jongens bleven hem aansporen en hij wilde niet zijn gezicht verliezen, dus bleef hij de stalen neuzen van zijn laarzen in de ribben van de jongen schoppen totdat hij snikkend in een hoopje op de grond lag.

Gunter werd wakker met gezwollen knokkels en er was een gesp van zijn motorrijlaarzen gerukt, maar op de een of andere manier voelde hij zich vanbinnen meer in balans. Dat kwaadmakende gevoel was weg. En de verontrustende stijve ook. De hele dag lang stond hij te werken aan zijn draaibank met een bevredigende spierpijn. Zelfs de meiden op kantoor gaven commentaar op zijn goede humeur. 'Jezus Gunter, je hebt zeker een goede beurt gehad,' merkte die schattige kleine van Cullen op in het voorbijgaan.

Toen hij thuiskwam, stond de politiewagen voor zijn flat geparkeerd. Jim Canavan stond tegen het dak geleund een van die goedkope superdunne sigaartjes te roken. Gunter stapte af en trok de motor op de standaard.

'Jim.'

'Stap in,' zei Canavan, ging achter het stuur zitten en duwde het portier aan de passagierskant open. Gunter wurmde zijn grote lijf in de auto en verstelde de stoel. Degene die daar voor hem gezeten had moest een dwerg geweest zijn.

'Je weet waarom ik hier ben,' zei Canavan.

'Ik heb zo'n vermoeden.'

'Punt is, hij heeft je aangeklaagd.'

Gunter knikte.

'Ik ga wel mee naar het bureau.'

'Niet nodig.'

'O?'

Gunter trok een wenkbrauw op.

'Ik handel het wel af,' zei Canavan. 'Maar denk de volgende keer alsjeblieft een beetje na voordat je een of andere jonge gast in elkaar gaat rammen, Gunter. Je verkloot de boel telkens opnieuw, en dan ik moet je weer uit de penarie helpen. Als ik niet oppas, ben ik straks mijn pensioen kwijt. Dit is de laatste keer.'

Hij draaide de sleutel om in het contact. Einde van het gesprek. Gunter opende het portier en stapte uit.

Maggie lag onder haar dekbed op de bank. Haar ogen waren rood en gezwollen. Gunter ging op de armleuning van de stoel zitten en legde zijn hand op haar hoofd. Ze trok het weg.

'Je had beloofd dat je niets zou doen,' zei ze.

Gunter haalde zijn schouders op.

'Ik ben van gedachten veranderd.'

Ze stond op en liep naar de slaapkamer, sleepte het dekbed achter zich aan als de opgeblazen sleep van een bruidsjurk.

'Je bent net als alle anderen,' zei ze. 'Een klootzak.'

Ik propte de papieren in mijn spijkerbroek, sloot mijn ogen en probeerde niet te luisteren naar het bonzen in mijn hoofd. De hele nacht sluimerde ik in mijn moeders leunstoel totdat de vogels me wekten. Onsamenhangende beelden, restjes van dromen, sijpelden het ochtendlicht in. Mijn moeder kwam de trap af. Met elke stap ging mijn hart sneller kloppen.

'Jezus, Maria en *Jozef*,' zei ze, terwijl ze met haar hand voor haar mond in de opening van de keukendeur bleef staan. 'Heb je gevochten?'

'Zo zou ik het niet willen noemen.'

Het leek alsof mijn tanden niet meer op elkaar pasten en mijn gezicht voelde aan als rubber. Ze liep druk om me heen, porde in mijn ribben, betastte mijn schedel en mijn armen alsof ik een pop was of een Action Man. Ik hing een of ander verhaal op over drie volslagen onbekenden die me op straat hadden besprongen. Ze sloot haar ogen alsof ze wachtte tot een migraineaanval voorbij was.

'Wie het ook waren,' zei ze, 'het waren in elk geval amateurs. Het hoofd is het hardste deel van het lichaam. Als ze je echt hadden willen toetakelen, waren ze voor je ribben gegaan.'

Voor mij voelde het niet als amateurswerk. Ik wilde net zoiets zeggen maar de telefoon verhinderde dat. Mijn moeder fronste haar wenkbrauwen.

'Wie belt er nu in godsnaam zo vroeg?' Ze draaide de puntjes van haar haar rond haar rookbruine vingers. 'Neem jij op?'

Het was Jameys moeder, bijna hysterisch, en ze sprak zo snel dat ik dacht dat ik flauw zou vallen van de intensiteit.

'Ik ben de hele nacht opgebleven,' zei ze. 'Jamey zou gisteravond thuiskomen maar hij is niet op komen dagen. Heb jij iets gehoord?'

Ik zei dat Jamey en ik elkaar in geen weken gesproken hadden.

'O god,' zei ze, 'ik hoopte dat jij hem had gezien.'

Mijn moeder hing over mijn schouder en vroeg geluidloos: 'Wie is het?' maar ik wuifde haar weg en draaide mijn rug naar haar toe.

'Als je iets hoort,' zei Dee, 'bel me dan, alsjeblieft. Wat er ook is.'

Toen ze me bedankte en ophing brak haar stem.

'Nou?' zei mijn moeder.

'Dat was mevrouw Corboy.'

'Wat wilde ze?'

'Jamey is pleite. Ze wilde weten of ik hem gezien had.'

Ze kneep haar ogen tot spleetjes.

'En?'

'Ik heb hem sinds zijn eindexamen niet meer gezien.'

Ze stak een sigaret op. Van de verpleegster in de kliniek

kreeg ze altijd op haar kop voor roken op de nuchtere maag. Altijd zorgen dat je eerst iets in je maag hebt, zeurde ze.

'Hij komt vast weer boven water,' zei mijn moeder.

Ik kroop de trap op naar mijn bed en werd in de middag pas wakker, misselijk van de honger.

De vakantie liep onverbiddelijk ten einde. Mijn gezicht werd bont en blauw en ik ging nauwelijks het huis uit, bang om Gunter en zijn maten tegen het lijf te lopen. Op een ochtend kwam ik beneden en zat mijn moeder aan de keukentafel een cake uit te pakken, die in zilverpapier gewikkeld zat.

'De doden verrezen en verschenen aan velen,' zei ze. 'Kijk. Mevrouw Nagle heeft ons een gelukscake gestuurd. Ze wil het weer goedmaken.'

'Ze leert het ook nooit.'

'Ik ook niet.'

Ze zette de cake in de koelkast, maakte een kop thee, ging bij de achterdeur staan en staarde naar buiten.

'Dit is het laatste restje zomer,' zei ze, terwijl ze door haar wimpers naar de zon keek, die als een waterig oog in de lucht hing. 'We mogen het niet zomaar voorbij laten gaan. Kom op, ik maak een lunchpakket klaar en dan huren we een paar fietsen bij Tyrell's en gaan naar het strand. Een beetje beweging zal ons goeddoen.'

Ik kleedde me aan terwijl zij sandwiches klaarmaakte en ze in een tenen picknickmand deed. Ze droeg me op een deken uit de linnenkast te halen en begon stekkers uit te trekken en ramen en deuren te sluiten, en toen duwde ze me de voordeur uit.

We liepen het dorp in en haalden de fietsen op bij Tyrell's. Mijn moeder ging op het zadel zitten en rookte nog één peuk en daarna fietsten we de oude kustweg af. We moesten afstappen om de fietsen de steile heuvels op te duwen, maar als we eenmaal over de top heen waren konden we eeuwig freewheelen. Met de wind in ons gezicht voelde alles heerlijk fris, een opluchting na de benauwde hitte van augustus. We schoten goed op, en weldra werden de wegen smaller en de lucht ruw van zout en door de wind rondgeblazen zandkorreltjes. Meeuwen doken omlaag en schoten weer de lucht in en vochten tegen de zeewind in. De geel gloeiende velden leken zich terug te trekken. We hoorden de branding voordat we haar zagen, en toen we de top van de laatste heuvel bereikten was het alsof een rolgordijn omhoogschoot en de zee wijd gaapte, het was een bijna duizelingwekkend gevoel.

We verstopten de fietsen tussen het riet en liepen met grote passen de zandhelling af. Golven bulderden en schuimden en smeten zich op het strand. We liepen een hele tijd, ons verder langs de kust wagend dan waar ik ooit eerder was geweest. Het voelde alsof we teruggingen in de tijd, pioniers in een onbevolkte wereld. Om de zoveel tijd moesten we even stoppen zodat mijn moeder op adem kon komen.

Ten slotte kwamen we bij een verlaten baaitje in de vorm van een hoefijzer. Er was een grot uitgevreten in de kop van de klif, een open bek met puntige tanden ongeveer op ooghoogte, de kaken tjokvol kalkafzettingen in de vorm van slagtanden, bedekt met mos en vreemd gevormde eendenmosselen. Muggen en vliegen zoemden om een aangespoelde zeester en draderige hompen zeewier heen. Mijn moeder pakte de deken die ik droeg en spreidde hem uit onder de boog van de grotopening, waar we beschut waren tegen zon en wind.

'Wat is dit voor plek?' vroeg ik.

'Blaasgatbaai.'

Het was akelig stil. Mijn moeder ging op de deken zitten en pakte de mand uit. Ze draaide de dop van de thermoskan, tuurde uit over het Sint-Georgekanaal en keek naar de krijsende vogels, die steil het water in doken. Reigers en meeuwen zochten de bodem af naar zeepieren, nuffig en behoedzaam hun stappen kiezend over de grijsbruine zandbanken en slikken.

'Weet je,' zei ze, terwijl ze thee in de dop schonk, 'toen ik een meisje was, zijn we een keer hierheen gekomen om naar een walvis te kijken, die precies hier op deze plek was aangespoeld.'

Ze zweeg even om over haar thee te blazen.

'De baas – zo noemden we mijn vader – de baas was normaal gesproken erg streng, maar hij moest toegeven dat we zoiets nooit meer zouden zien, dus gaf hij ons die dag vrij. Ik zal het nooit vergeten.'

Mijn moeder vertelde bijna nooit iets over haar familie. Ik vroeg me af waarom ze nu over hen begon.

'Hoe kwam die walvis hier terecht?'

'Hij zal wel in ondiep water geraakt zijn. Misschien kwam hij wel hier om te sterven.'

Druppels pekelwater van de grijze golven werden onze kant op geblazen en bespikkelden mijn gezicht. De stank van rotte kelp drong in mijn neus en keel. Mijn moeder reikte me een sandwich aan.

'Vroeger zeiden de mensen altijd dat een grot in de buurt van open water de hellepoort of een passage is naar het vagevuur. Of het feeënrijk. Ze komen in het hele land voor. De Grot van Cruachan bij Lough Derg is er ook zo een. Je weet vast niet waarom die plek zo wordt genoemd.'

Ik gaf geen antwoord, dus vertelde ze verder.

'Lough Derg betekent "rood meer". Volgens het verhaal nam Fionn Mac Cumhaill toen hij wegvluchtte uit Ulster zijn moeder mee op zijn schouders, maar hij rende zo snel dat er tegen de tijd dat hij bij Lough Derg aankwam niets meer van haar over was behalve haar twee benen, die hij op de grond gooide. Toen een aantal leden van de Fianna hem kwamen zoeken, vonden ze de scheenbenen van zijn moeder en in een ervan zat een worm. Ze wierpen de worm in het meer, en hij veranderde in een reusachtig zeemonster. Jaren later werd hij gedood door Saint Patrick en werd het meer rood van zijn bloed.'

Ze sloot haar ogen en baadde haar gezicht in de koude zon. Een paar grijze plukjes haar schitterden als highlights.

'Nou, jongens' zei ze, en ze klonk alsof ze in trance was geraakt, 'ik zou hier zo in slaap kunnen vallen.'

De wind trok aan en van ver achter uit de keel van de grot kwam een jammerend geluid, lang uitgerekt en griezelig, als een weeklagende *banshee*.

'Wat is dat voor herrie?' zei ik.

'Shht.'

We luisterden naar dat treurige geloei tot de wind ging liggen en het geluid wegstierf.

'Dat is het blaasgat,' zei ze.

En knikte, was het helemaal met zichzelf eens.

De oude kraai wiekt hoog boven het droomlandschap, omnipotent doch impotent, een liefhebbende god die het wel hoort maar niet kan reageren op het blaten van de getroffenen en de verstokenen, en de pechvogels, woedend op hun schepper, tegen de leegte brullend vanaf heuveltoppen, roepend: Als u de wereld geschapen heeft, Heer, hoe kon U dit dan laten gebeuren, *waarbij ze voortdurend de mogelijkheid over het hoofd zien dat Hij er misschien niets aan kan doen, dat Hij misschien slechts een of andere kraai is die getroffen werd door de bliksem en mazzel had en door een kosmisch toeval het universum creëerde, een geluksbig-bang, en misschien, heel misschien, ervandoor ging toen alles uit de hand liep, deze godgelijke kraai, deze kraaigelijke god, die voor altijd vastzit aan de andere kant van alles, enkel in staat om te observeren, aanwijzingen in de oren van de levenden te fluisteren zonder ooit iets te doen wat van belang is, omnipotent maar impotent.*

Is God dood?
Zijn de doden God?
Geef maar geen antwoord.
Straks maak je de wormen nog wakker.

IX

Het rad van de seizoenen draaide en het weer draaide mee. Er kwamen koude winden die de bomen van hun bladeren ontdeden en de takken kaal achterlieten, klauwend naar de wrede hemel als de scharen van een kreeft. Kraaien en kauwen krasten in de velden; gezwollen wolken trokken samen boven de bergen; zelfs de zon leek duisternis uit te stralen en de hemel was een zeildoek dat zo laag hing dat je het bijna kon aanraken.

Het was mijn eindexamenjaar. Volgens mijn moeder was dat goed voor mij – door al het extra werk zou ik me wel moeten gedragen. Het was nog donker als ik 's ochtends naar school ging. De hele dag zaten we binnen in het tl-licht en tegen de tijd dat we naar huis gingen begon het alweer donker te worden. Ik miste Jameys brieven bijna net zo erg als zijn aanwezigheid.

Soms hield ik denkbeeldige gesprekken met hem, maar ik kon zijn intonatie en formulering niet nadoen, en op een dag besefte ik met enige verbijstering dat ik me zijn gezicht niet langer duidelijk voor de geest kon halen.

Tijdens de lange herfstavonden bekommerde ik me vooral om het haardvuur in de keuken, tocht in mijn rug, en ging alleen naar buiten om meer brandhout uit de achtertuin te halen. Op mijn gezicht begon een armzalig, ongelijkmatig baardje te groeien en mijn haar viel over mijn rug. Het leek alsof ons huis gekweld werd door de geesten van dingen die ongezegd waren gebleven. Tussen mijn moeder en mij hing een diepe stilte. Ze trok zich steeds verder in haar schaduw terug, tot het leek alsof die schaduw het meest stoffelijke deel van haar wezen was geworden. Ze werd bleker en frêler, at haar maaltijden niet meer aan tafel, ging tegen het aanrecht staan om een kopje thee te drinken en een overgebleven snee brood te eten en rookte de ene sigaret na de andere. 's Avonds lag ze als het nieuws van negen uur op de radio kwam al in bed, toen om acht uur, toen direct na het avondeten.

Als ze naar boven was gegaan bleef ik afwezig voor me uit zitten staren, luisterend naar hoe de regen de ramen geselde, de wind huilend in de schoorsteen. De Heilig Hartlamp wierp zijn bloedrode licht. Karel Kapsel was nu kaal; we hadden de zaadjes van zijn haar al jaren niet meer gezaaid. Ik voelde mee met de verzuchtingen van ons oude huis, de kreunende vloerplanken en krakende dakspanten, en keek door de ramen naar de uitgeteerde takken van de dode bomen.

Soms liep ik naar het kastje waar ze flessen sterkedrank voor keukengebruik had staan, en dan hevelde ik wat over in een glas en nipte het langzaam leeg. De uitwerking beviel me, de manier waarop alles een beetje wazig rondom werd, hoe de drank mijn zorgen afzwakte en de wereld omtoverde in een plek die luchthartiger leek en vol mogelijkheden.

In oktober kreeg mijn moeder een of ander virus te pakken en hield het bed. Ik deed mijn best om voor haar te zorgen, maar ze was de lastigste patiënt denkbaar, wilde kost wat kost proberen op te staan en naar haar werk te gaan voordat ze de kans had gehad zich volledig te herstellen. Ik zei dat ze de dingen beter aan mij over kon laten totdat ze er weer bovenop was, maar ze wilde er niets over horen, ik mocht niet eens de dokter bellen.

'Ik ga geen zestig euro betalen voor die suffe ouwe pillendraaier om me te laten vertellen dat ik in bed moet blijven en veel water moet drinken,' zei ze.

Maar toen er een paar weken later nog steeds geen verbetering was opgetreden, mocht ik dokter Orpen eindelijk laten komen. Op een middag toen ik thuiskwam van school zag ik zijn auto voor ons hek staan, en ik ging aan de keukentafel zitten wachten, probeerde het gemompel dat vanboven kwam te ontcijferen.

'De man des huizes,' zei hij toen hij eindelijk beneden kwam.

'Hoe staat het ervoor?'

'Om heel eerlijk te zijn, John, weet ik het niet helemaal zeker. Ik geloof niet dat het maar één ding is. Ze ziet er uitgeput uit. Eet ze wel goed de laatste tijd?'

'Ze is nooit een grote eter geweest.'

'Nou, ze is vel over been. Ze is absoluut niet fit genoeg om te werken. Heb je misschien familie die kan helpen tot ze weer op de been is?'

Het drong maar moeilijk tot me door. Mijn moeder was nooit iemand geweest die lang ziek was. Zelfs toen ze naar het ziekenhuis moest voor haar operatie was ze in een mum van tijd weer opgeknapt.

'Ik zorg zelf wel voor haar,' zei ik.

Dokter Orpen duwde een paar zijn vingers door zijn staalwollen haar.

'Ik denk niet dat dat zou lukken, John, zelfs met de beste wil van de wereld niet. Ze is niet jong meer en ze heeft niet goed voor zichzelf gezorgd. Zo te zien al lang niet meer. Je zult hulp nodig hebben. Voor zo lang als het duurt in elk geval.'

Er zoemde iets in zijn jas. Hij haakte een pieper los van zijn binnenzak en keek met gefronste wenkbrauwen naar het display.

'Kan ik even bellen?'

Hij sprak een paar minuten en hing toen op.

'Ik moet ervandoor,' zei hij. 'Dan Patterson is met zijn hand in een mangel gekomen.' Hij greep zijn tas en zijn jas. 'Zorg ervoor dat je moeder in bed blijft. Kijk of ze iets wil eten. En probeer haar in godsnaam zover te krijgen dat ze minder rookt.'

Ik keek hem na toen hij wegreed, en ging even op het stoepje voor de deur zitten en stak een sigaret op, maar de rook gaf geen troost, deed me alleen denken aan mijn moeders ziekte, dus drukte ik hem uit, poetste mijn tanden en ging naar boven, naar haar kamer. Ze was ingedommeld, haar armen naast haar lichaam als de verdorde takken aan de bomen rondom ons huis. Haar huid was grijs, haar haar lag in dunne sprieten op het kussen. Toen ze mijn gewicht op de rand van het bed voelde, deed ze haar ogen open.

'Hoe voel je je?' vroeg ik.

Ze probeerde te glimlachen.

'Zo slap als een dweil.'

Het voelde ongemakkelijk, bijna gênant, zoals zij daar lag, ziek, en ik die probeerde de rol van verzorger op zich te nemen. Ik gaf een klopje op haar arm.

'Ik laat je rusten.'

Ze knikte en sloot haar ogen.

Ik ging aan de keukentafel zitten en staarde uit het raam naar het duister, dat door de bleke winterhemel heen sloop.

Later die middag vloog de achterdeur open en werd de rust van het huis ruw verstoord door een stem als trompetgeschal.

'God bewaar ons allen!'

Mevrouw Nagle stond in de deuropening als een of andere wilde vrouw uit het bos, bontlaarzen en mantel aan, wollen muts op. Ze zag er sterker en robuuster uit dan ik haar ooit had gezien, alsof ze met het toenemen der jaren juist meer kracht had gekregen in plaats van minder, een indrukwekkend vrouwmens, dat niet in de stemming was een weder-woord te dulden van een waardeloze nietsnut als ik. Ze zette haar tassen binnen.

'Ik kom een handje helpen,' zei ze terwijl ze op haar gemak door de keuken liep, alsof het pas een paar dagen geleden was dat ze voor het laatst op bezoek was.

'Shhh,' zei ik. 'Ze probeert boven wat te slapen.'

'We moeten aan de slag, John.' Het was bijna lachwekkend wat zij onder fluisteren verstond. 'We zullen samen moeten werken, jij en ik, omwille van je moeder.'

Ze begon ermee zichzelf een mok thee in te schenken en alles in één flinke teug op te drinken. Vervolgens pakte ze de organisatie aan, deelde als een sergeant-majoor bevelen uit: dit moet schoon; dat moet geschrobd. Op de achterkant van een envelop stelde ze met grote letters een boodschappenlijst samen – een brood en een zak piepers en twee grote dozen Roses – en stuurde me met een briefje van twintig het dorp in. Toen ik terugkwam, stonden alle ramen van het huis open. Ik zette de tassen met boodschappen op de keukentafel.

'Wisselgeld,' zei ze en stak haar ruwe klauw van een hand uit.

Ik legde de muntjes op de tafel en ging naar boven. Mijn moeder was wakker, overeind gehouden door kussens.

'Willy Wonka is er weer, zie ik,' zei ze.

Even dacht ik dat ze fantaseerde, of ijlde.

'Willy Wonka?'

'Van de chocoladefabriek.'

De gordijnen bolden op in de wind. Ik maakte het raam dicht.

'Vind je dat goed?'

Ze knikte.

'Je kunt haar hulp goed gebruiken. En Phyllis is de kwaadste niet. Maar ik waarschuw je. Je komt niet zomaar van haar af.'

Mijn moeder stond erop dat ik elke zondag naar de kerk ging. Ik wilde niet dat ze zich zorgen maakte, dus deed ik alsof ik ging, maar ik had niet het lef om mijn gezicht te laten zien in de kerk voor het geval het wijwater begon te borrelen of ik door een bliksem getroffen zou worden, dus verschool ik me ergens in de buurt van de kerk tot de mis afgelopen was.

Toen de deuren opengingen en de kerkgangers naar buiten stroomden, zag ik Jameys moeder in de menigte. Ze had haar uiterlijk veranderd sinds ik haar voor het laatst gezien had, een chic kort kapsel, en liep arm in arm met Ollie. De jongen begon groot te worden; je kon zien dat hij later een echte krachtpatser zou worden. Hij zag me en riep mijn naam en klopte met zijn vuist op zijn borst. Dee fronste haar wenkbrauwen, keek waar zijn vinger naartoe wees. Haar ogen lichtten op. Ze liep snel naar me toe en drukte mijn hand.

'John,' zei ze. 'Hoe gaat het met je? Je ziet er anders uit.'

'O ja?'

'Ouder.'

Ze greep me bij de schouders en hield me voor zich uit, bekeek mijn gezicht eens goed.

'Komt door de baard.'

Ze trok aan mijn kinharen.

'Staat je goed.'

In verlegenheid gebracht flapte ik het eerste uit wat me te binnen schoot.

'Al iets van Jamey gehoord?' vroeg ik.

Ze legde haar vinger op haar lippen en knikte richting Ollie, maar het was al te laat.

'Jamey is op vakantie,' zei Ollie en zijn onderlip trilde.

'We hebben een kaartje gekregen,' zei Dee opgewekt. 'En een cadeautje. Hè, Ollie?'

Ollie knikte en krabde aan zijn buik.

'Beanie Baby's,' zei hij.

Dee veegde het haar uit zijn ogen.

'Ga jij maar spelen.'

Ollie holde naar het grasveld. Het leek me beter om van onderwerp te veranderen.

'Wat brengt jullie eigenlijk hierheen? Ik dacht dat jullie teruggverhuisd waren naar Ballo.'

'Dat zijn we ook. Maar de kerk daar staat me niet aan. Veel te groot en onpersoonlijk. En trouwens...' Ze keek me strak aan met haar groene ogen. 'Ik ben helemaal niet bang om mijn gezicht hier te laten zien.'

Ollie rolde door het gras als een hond. Dee staarde even naar hem, richtte zich weer tot mij.

'Ik denk dat hij in Spanje is,' zei ze. 'En ik denk dat er een meisje in het spel is.'

'Echt? Waarom denkt u dat?'

Ze haalde haar schouders op.

'Ik ben zijn moeder.'

Wat Dee wilde geloven, moest ze zelf weten. Zolang ze maar geen ongemakkelijke vragen begon te stellen. Ik loog niet graag tegen haar, zelfs niet omwille van Jamey.

'Ik mis dat eigenwijze kereltje,' zei ze, en vervolgde fel: 'Weet je, trouwens? Ik ben blij dat hij hier weg is. Ik vond het niks dat hij naar die vreselijke jeugdinrichting moest. Het is een goeie jongen. Ik wilde hem al het geld geven dat we op de bank hadden en tegen hem zeggen dat hij het land uit moest gaan. Maar zijn vader wilde er niets over horen.'

Haar gezicht trok samen van afschuw, wat onmiddellijk week voor een sluwe glimlach.

'Je vindt me vast vreselijk.'

'Ik weet zeker dat iedere moeder er zo over zou denken.'

'Da's aardig van je.' Ze gaf me een knuffel, en ik werd duizelig van haar parfum. Ze kneep even in mijn arm.

'Pas goed op jezelf, John.'

Ze zette haar handen aan haar mond.

'Ollie!'

De jongen kwam aanrennen. Ze stak haar hand uit, maar hij negeerde het en trok aan mijn T-shirt. Ik boog naar hem toe en hij drukte zijn mond tegen mijn oor.

'Koekoek,' zei hij in mijn oor. Zijn adem rook naar chips.

'Wat?'

Hij grijnsde en tikte op zijn neus.

'Koekoek.'

Nu mevrouw Nagle er was om op mijn moeder te letten had ik wat meer tijd voor mezelf, maar het huis was niet langer van ons. Overal stonk het naar haar rot fruit en insectenspray. Haar luide, galmende stem trilde het stof van de dakspanten. Van de keuken maakte ze haar eigen nest, hing haar korsetten en panty's en allerlei andere kledij voor oude dames op het droogrek bij de haard. De koelkast was permanent bevoorraad met doosjes bonbons, maar ik mocht er niet aankomen. Haar kunstgebit dreef in een glas water op het aanrecht. Het avondeten werd elke avond stipt om zes uur opgediend, als op de radio tot het angelus werd opgeroepen, maar wat we ook aten, het smaakte altijd enigszins aangebrand.

Mevrouw Nagle ging alleen het huis uit om naar de mis te gaan. 's Avonds zat ze voor de haard en propte haar mond vol met zoetigheid en klaagde steen en been over het ontbreken van een televisie in huis. Ze sliep in de leunstoel onder een sprei, hoofd achterover, neus in de lucht, wind fluitend door haar holtes, maar na een poosje klaagde ze over haar rug en vanaf die tijd kroop ze naast mijn moeder in bed.

'Je wilt een oude vrouw toch niet in een oude leunstoel laten slapen, of wel John?' vroeg ze. 'Hè?'

Ik ergerde me rot. Ik had nog nooit met zo'n bazige vrouw van doen gehad. Het kostte me ontzettend veel moeite om haar in haar spijkerharde ogen te kijken als ze sprak, en haar stem deed mijn tanden knarsen. Haar eetgeluiden kon ik niet uitstaan, zoals ze kauwde met haar mond open, het knisperende geluid als ze bonbonpapiertjes opfrommelde en in haar zak stopte. Soms wenste ik dat ze in een van haar bonbons zou stikken, of midden in een snurk een hartaanval zou krijgen. Ik fantaseerde erover een sok in haar mond te proppen terwijl ze sliep en toe te kijken hoe haar gezicht blauw aanliep.

Tegen het eind van oktober was mijn moeder weer een beetje opgeknapt. Ze zat overeind in bed en begon weer wat te eten. In plaats van blij te zijn, was mevrouw Nagle duidelijk geïrriteerd. Ze was eraan gewend geraakt om de dingen op haar manier te doen. Hoe beter mijn moeder zich voelde, hoe meer mevrouw Nagle haar betuttelde en mij op een afstand hield, alsof ze per se wilde bewijzen hoe onmisbaar ze geworden was in het huishouden. Er stonden voortdurend pannetjes te pruttelen op het fornuis en de voorraadkast was altijd vol, allemaal uit eigen zak betaald, ze wilde niet eens geld voor een doosje theezakjes aannemen. En ik moest de benen onder mijn lijf vandaan rennen voor haar om allerlei boodschappen te doen.

Toen het opeens zo begon te stormen dat razende winden de ramen deden rammelen en onder de dakrand floten, ging ze met grote tegenzin naar haar huisje toe om te kijken of alles goed vergrendeld was. Zodra ze weg was ging ik naast mijn moeders bed zitten, huiswerk op schoot, maar ik was nog maar net begonnen, toen de stroom uitviel. Mijn moeder droeg me op om de oude petroleumlamp uit het kastje onder de trap te halen en liet zien hoe ik een lucifer bij het lontje moest houden zonder het hele zaakje te laten ontploffen. Ik schroefde het lampenglas erop, zette hem op het nachtkastje en draaide aan de knopjes tot ik een grote vlam had, waardoor er op de muur van de slaapkamer een betoverend schaduwspel ontstond.

Mijn moeder staarde naar die schaduwen en er speelde een vage glimlach om haar lippen.

'Ik heb je nog nooit verteld over die keer dat ik een reus zag,' zei ze kalm.

Ik legde mijn huiswerk opzij. Ik had haar verhalen gemist.

'Vertel.'

'Je was nog maar zo'n broekie.' Haar stem was zwak, maar haar ogen straalden. 'Op een avond begon het donker te worden. Ik liep na mijn werk naar huis en zag een gestalte over de weg in mijn richting komen. Hij was zo'n drie of vier meter lang, als een van de Tuatha De Danaan. Hij kwam steeds dichterbij, en ik werd steeds banger. Mijn schoenen waren aan de grond genageld; ik was net een bang konijntje. Toen zag ik wat het was, en ik voelde me zo'n uilskuiken.'

'Wat was het?' vroeg ik. 'Verlos me uit mijn lijden.'

Ze giechelde even.

'Het waren twee reuzen, de ene zat op de schouders van de ander.'

Mijn verjaardag viel op de dag voor Halloween. Mijn moeder voelde zich goed genoeg om naar beneden te komen en haar maaltijd aan tafel te eten. Het was voor het eerst in weken dat ze uit bed was, en hoewel haar adem reutelde en haar bewegingen zo langzaam waren dat je er bijna niet naar kon kijken, leek ze wat meer energie te hebben.

'Niet bepaald sweet sixteen,' zei ze met een knipoog toen ze aan tafel ging zitten. Ze kreeg het voor elkaar om haar bord waterige koolstamppot bijna helemaal leeg te eten en deed zich zelfs te goed aan een kom roomijs als dessert. Mevrouw Nagle rommelde wat in de keuken, boos en verongelijkt, mopperend dat een vrouw in haar toestand in bed hoorde te liggen. Mijn moeder wierp haar een vernietigende blik toe en de stemming van mevrouw Nagle werd abrupt beter.

'Wat is dit nou voor een verjaardagsfeest?' riep ze uit. 'Ik zal wel eens even thuis gaan kijken wat ik kan vinden.'

Een paar minuten later kwam ze terug met een doos chocolaatjes en een stel knalbonbons.

'Zo,' zei ze met geforceerde hartelijkheid. 'Dat lijkt er meer op.'

We aten de chocolaatjes, telkens als ik er een pakte kromp mevrouw Nagle even ineen. Mijn moeder was zo zwak dat ze nauwelijks een knalbonbon open kon trekken, maar ze zette een oranje feesthoedje op en forceerde een glimlach. Mevrouw Nagle ruimde de tafel af en begon aan de afwas, en mijn moeder vroeg of ik haar terug naar boven wilde brengen. Nadat ik haar in bed had geholpen, vroeg ze me om de bovenste la van het nachtkastje open te maken.

'En nu,' zei ze met een nauwelijks hoorbare stem, 'haal je een briefje van twintig uit mijn beurs. Ik wil dat je vanavond uitgaat en een beetje lol hebt.'

Ik begon tegen te sputteren, maar ze wilde het niet horen.

'Je bent verdorie jarig vandaag. Je zit al wekenlang thuis opgesloten met alleen een stel oude vrouwen als gezelschap. Ga uit en drink er een op je moeder. Maar niet te veel, hoor. Phyllis zorgt wel voor me. Kan zij ook iets terugdoen voor ons.'

Het vooruitzicht op een avondje stappen was te aanlokkelijk om aan mijn neus voorbij te laten gaan. Ik wachtte tot mijn moeder comfortabel lag, ging naar beneden en trok mijn jas aan. Mevrouw Nagle stond tot aan de ellebogen in het sop.

'Waar ga jij op dit uur nog naartoe?' zei ze.

'Uit.'

Het dorp zinderde van de Halloweengeluiden en -geuren, typische geuren en geluiden overal, vreugdevuren en rook, knallen als pistoolschoten. Groepjes kinderen slenterden over het plein, opgewonden door de duisternis, *trick or treat* roepend. Ik kocht een kleine fles whisky in slijterij Hyland en ging op het monument zitten om het allemaal eens goed te bekijken, de alcohol verspreidde vanuit mijn maag naar mijn vingertoppen.

Er stopte een auto en aan de passagierskant stapte een meisje uit. Ze had een soort feeënkostuum aan, een masker vol met glitters voor haar ogen. Ze zwaaide met een toverstok boven mijn hoofd, drukte een flyer in mijn hand en stak er hier en daar nog een onder de ruitenwissers van geparkeerde auto's en reed weer weg.

Halloweenbal
Afro-Kilcody Superstores
Toegang € 5

Ik stopte de fles in mijn jaszak en liep richting Barracks Street. De lucht was dik van de steenkoolrook, hier en daar ging vuurwerk af met het geluid van scheurend stiksel. Uit de Superstores dreunde muziek en in de ramen flikkerden uitgeholde pompoenen, druipende kaarsjes achter hun grijns met een gebit vol gaten. De hoofdingang was open, mensen stroomden de stoep op. De uitsmijter bij de deur had een Frankensteinkostuum aan. Ik liep langs hem heen en betaalde een meisje dat op een biervat zat, een koektrommel vol wisselgeld op haar schoot.

Er liepen allerlei vreemd uitgedoste figuren rond, piraten, spoken en vampiers. De muren waren behangen met vleermuizen en botten, aan het plafond hingen namaakspinnenwebben. Uit de geluidsinstallatie die op een plateau van pallets stond, bonsde een slome beat. Diepe bas en rokerige stem. De dj was gekleed in een fluorescerend geraamtepak uit één stuk, druk in de weer met de faders op het mengpaneel. Iemand in een witte jas wurmde zich langs me heen, stethoscoop bungelend om zijn nek.

'Hé,' schreeuwde hij in mijn oor. 'Een daklozenkostuum. Heel origineel.'

Ik duwde me een weg door de volgepakte ruimte. Een meisje gooide haar armen om mijn nek en kuste mijn wang. Ze was in een glanzend zwarte plastic broek gegoten en had een kattenmasker op, dat haar ogen bedekte.

'Finnerty!' schreeuwde ze boven de muziek uit.

'Kennen wij elkaar?' zei ik.

Ze knipperde met haar ogen. Haar adem stonk verschrikkelijk.

'Sorry, ik dacht dat je iemand anders was.'

Onder haar arm zat een zweepje geklemd.

Ik wrong me zijdelings langs lichamen, die als sardientjes op elkaar gepakt stonden. Overal om me heen harlekijngezichten en bête glimlachen. Alles zag er relaxed en aangenaam ver weg uit. Hoog op de muur achterin werd een zwart-witfilm uit de jaren vijftig met monsters geprojecteerd. Ineengedoken in een hoekje snoof een gast met een Reagansteinmasker op een lijntje poeder van de rug van zijn hand. Hij kneep in zijn rubberen neusvleugels en wreef het resterende poeder over zijn tandvlees.

Ik nam een teug van mijn whisky, gefascineerd door de eigenaardigheid van dit alles, en vond een lege fruitkist en zette hem op zijn kant. Iemand gaf me de grootste, dikste marihuanasigaar aan die ik ooit had gezien. Ik nam een flinke trek, de zoete rook brandde in mijn longen. Mijn hoofd werd zwaar en flopte heen en weer als dat van een baby. Ik nam nog een trekje, liet de achterkant van mijn schedel tegen de muur rusten en sloot mijn ogen. Iemand pakte de marihuanasigaar uit mijn vingers. Ik tastte naar mijn fles, nam nog een slok en zwom het diepe basgedreun van de muziek in.

'Hé, schone slaper.'

Een jonge zwarte man zat op zijn hurken voor me, klein en slank, met fijne gelaatstrekken en enorme amandelvormige ogen. Het feest was niet meer zo druk en de muziek was relaxed en psychedelisch, de beats langzamer.

'Zo te zien had je een heerlijke droom.' De jongeman glimlachte. Hij had een op maat gemaakte broek aan en puntige laarzen met Cubaanse hakken, een pakje sigaretten in de mouw van zijn nauw zittende witte T-shirt gestopt. Zijn armen waren pezig als een zweepkoord. 'Alles goed?'

Mijn hoofd was wat draaierig, een vreemde isolatiemantel om mijn huid heen, maar ik was in orde, geen duizeligheid, geen misselijkheid. De fles was weg.

'Iemand heeft mijn whisky gejat,' zei ik.

De jongeman gaf een rukje met zijn hoofd.

'Kom mee naar de achterkamer. Zo te zien kun je wel wat frisse lucht gebruiken.'

Duf en ongecoördineerd volgde ik hem naar het deel van de winkel dat ooit kapsalon was geweest, stappend over lege flessen en bierblikjes en papieren bordjes zwart van de uitgedrukte peuken.

De achterkamer was leeg afgezien van een paar stoelen en een tafel bestrooid met kaarten. Er stond een minibarkoelkast in de hoek. De jongeman haalde er twee blikjes bier uit, trok de lipjes eraf en gaf er een aan mij.

'Ga zitten,' zei hij. 'Het is oké: ik werk hier. Hoe heet je?'

Ik zakte in een van de stoelen en gaf antwoord. Het bierblikje was verrukkelijk koud. Ik rolde het over mijn wangen en mijn voorhoofd.

'Ik heet Jude,' zei hij, en pakte de stoel tegenover mij.

Ik spetterde een beetje.

'Udechukwu?'

Hij trok een lang gezicht.

'Je hebt de krant gelezen.'

Ik veegde bier van mijn kin.

'Ik dacht dat je verdwenen was.'

Hij perste zijn lippen op elkaar.

'Wat heb je nog meer gehoord?'

'Niks. Waarschijnlijk allemaal onzin.'

'Vertel evengoed maar.'

'Ik heb gehoord dat Gunter Prunty je in elkaar geslagen heeft. Had iets te maken met zijn vriendin.'

Jude stak een sigaret op.

'Ik kende Maggie,' zei hij. 'Maar er is niks gebeurd. Ik heb niks met meisjes.'

Hij trok een onberispelijke wenkbrauw op, pakte de kaarten en begon ze te schudden.

'Ze heeft me een hoop problemen bezorgd. Maar ik kon niet lang boos op haar zijn. Ik had niet naar de politie moeten gaan. Daardoor kwam mijn baas in de problemen. Hij moest me ontslaan.'

Hij begon de kaarten uit te leggen op tafel. Het was een tarotspel, met illustraties van de Dag van de Doden, skeletten en bloemen. Ik knikte naar de kaarten.

'In de krant stond dat je verwikkeld was in een of ander voodoogedoe.'

Hij trok een grimas.

'Dat hebben ze verzonnen.'

'Wie?'

'Gunter en zijn kameraad, de brigadier. Ze hebben de verslaggever gezegd wat hij moest schrijven. Het was een dekmantel.'

'Dat meen je niet.'

Hij grijnsde, zijn nieuwe kronen demonstrerend.

'Was dat maar waar.' Hij had een melodieuze stem, bijna zangerig.

'Dat snap ik niet.' zei ik. 'Waarom zou hij dat voor Gunter doen?'

Udechukwu haalde zijn schouders op.

'Als rookgordijn.'

En op dat moment realiseerde ik me dat de verhalen die Jamey had geschreven meer waarheid bevatten dan de krantenartikelen. Het was natuurlijk Canavan die Maggie in het geniep ontmoette. Ze had gelogen, en Canavan had haar daarin bijgestaan. Udechukwu scheen mijn gedachten te lezen.

'Het kan niemand iets schelen of een verhaal waar is of

niet,' zei hij. 'Het enige wat telt is of ze het geloven.'

Hij bekeek de kaarten nauwkeurig, met een trieste blik.

'Heb je ooit het verhaal van de dwaas en de schedel gehoord?' vroeg hij.

Ik schudde mijn hoofd en dronk van het blikje. Het was al erg laat.

'Geloof het niet.'

Hij schudde de kaarten opnieuw.

'Een jongeman liep door de woestijn. Hij vond een schedel en stootte ertegen met zijn staf en zei: "Dwaasheid werd uw dood." De schedel antwoordde: "Dwaasheid werd mijn dood, maar ik zal uw dood zijn." De jongeman ging naar thuis en vertelde de oude mannen uit het dorp wat er was gebeurd, maar ze geloofden hem niet. Ze waren al heel vaak langs die schedel gekomen maar hadden hem nooit horen spreken. Dus zei de jongeman: "Laten we naar de schedel toe gaan, dan sla ik ertegen met mijn staf, en als hij niet spreekt, mogen jullie mijn hoofd afhakken."

Dus liep hij met ze terug naar de schedel, gevolgd door een menigte. De jongeman sloeg met zijn staf tegen de schedel en zei: "Dwaasheid werd uw dood", maar de schedel gaf geen antwoord, dus sloeg hij hem nog een keer, maar nog altijd geen antwoord. De menigte werd kwaad en beschuldigde de jongeman van leugens en ze stortten zich op hem en hakten zijn hoofd eraf. Maar toen sprak de schedel. Hij zei: "Dwaasheid werd mijn dood, maar ik ben uw dood geworden."'

Udechukwu richtte zich weer op zijn kaarten. Ik stond op en baande me een weg door de rotzooi. Er zaten nog een stuk of tien laatblijvers, met stralende ogen, rode lippen en bleke gezichten van het drinken. Ik duwde de hoofdingang open. De nieuwe dag begon aan te breken, een prachtige scharlaken hemel, het soort hemel waarvan je hart zou kunnen breken.

Tegen december was mijn moeder aan haar ziekbed gekluisterd, wilde nog steeds niets voedzamers eten dan soep. 's Avonds zat ik meestal naast haar bed en las voor uit een van haar westerns, een of ander sterk verhaal over een pittige oude schutter genaamd McLean, die nog een laatste keer over de grens trekt om zijn trouwe paard, Horatio, terug te halen van het stel onbenullige Mexicaanse bandieten dat hem uit de stalhouderij geroofd had terwijl McLean zijn roes uitsliep in de plaatselijke hoerenkast. Het verhaal eindigt ermee dat de schutter, nadat hij alle bandieten stuk voor stuk afgeknald heeft en Horatio gered heeft, hevig bloedend uit een schotwond op zijn stoïcijnse oude paard zit, dat niet wilde rusten voordat het zijn stervende meester terug over de grens had vervoerd. Mijn moeders ogen schitterden.

Ze sliep de hele dag en het grootste deel van de nacht, en met elk traag, ziekelijk uur dat voorbijging leek het leven uit haar lichaam gezogen te worden, tot ze helemaal gekrompen onder de lakens lag. Soms maakte haar gehoest het hele huis wakker, een pijnlijk, blaffend geluid. Elke ochtend ruimde ik de papieren zakdoekjes op die als gekreukelde origamivormpjes op haar nachtkastje lagen en controleerde de vieze slijmslakken op bloedspatjes, maar die waren er niet. Soms als ze in slaap was gedommeld, legde ik de boeken opzij en vertelde haar over wat er op school gebeurde, of wat ik gezien of gehoord had in het dorp op weg naar huis. Het geluid van de wind en de regen buiten deed me denken aan de tijd dat ik klein was en ze me voorlas. Nu waren de rollen omgedraaid. De wereld stond volledig op zijn kop.

De nachten werden langer en kouder. Elke avond als ze ingedommeld was, praatte ik tot ik het geluid van mijn eigen stem zat was. Ik vertelde haar over de dag dat ik Jamey voor het eerst ontmoette op het marktplein, en over de grap die Jamey en Ollie met me uithaalden toen ik bij hen op bezoek was. Ik vertelde haar over de avond dat Jamey en ik naar de rugbyclub gingen. Ik vertelde haar wat er werkelijk gebeurd was in de kerk, en over de ochtend waarop brigadier Canavan me mee naar het bureau in Ballo had genomen. Ik beschreef wat ik had gezien op de camcorderband. Ik vertelde haar zelfs over de dag dat ik naar Ballo gelift was (maar liet het voorval met juffrouw Ross achterwege) en wat er gebeurd was bij het oude slachthuis. En op een avond vertelde ik haar dat ik toen Jamey wegliep het gevoel kreeg alsof er iets doodging in mij, alsof ik een tweeling was wiens lichaam dat van zijn broer geabsorbeerd had en hij nu in mij leefde. Terwijl ik sprak, staarde ik voor me uit en merkte pas dat ze haar ogen geopend had toen ik haar koude vingers om mijn pols voelde.

'Labrha Loingseach heeft ezelsoren,' fluisterde ze.

Kerstmis was een treurige aangelegenheid. Ik gaf mevrouw Nagle een doos bonbons, die ze brommend aannam en meteen in de koelkast liet verdwijnen. Ze was te gierig om een kalkoen te kopen en ze zou hem sowieso hebben laten aanbranden, dus zaten we die avond boos tegenover elkaar aan tafel met een zielig kippetje en een bord glibberige piepers en kapotgekookte spruitjes. Ik bracht een bord naar boven, naar mijn moeder, maar ze keek er niet eens naar. Ik kon het haar niet kwalijk nemen.

Oudejaarsavond luidde een nieuw jaar op aarde in. Ik lag wakker tot middernacht, toen Auld Lang Syne uit de radio schalde. Het klonk als een bittere grap. Soms had mijn moeder als ze wakker werd moeite zich te herinneren wie of waar ze was. Dokter Orpen kon niets voor haar doen. Eten, zei hij. Rusten. Minder roken. Elke keer als ik over geld begon zei hij dat we op een later tijdstip wel zouden afrekenen.

Op een dag toen hij langskwam om te zien hoe ze 'vooruitging', zoals hij dat noemde, wierp hij even een blik op mevrouw Nagle, die een aangebrande pan stond schoon te schrobben, met haar hoofd opzij, luistervinkend als gewoonlijk. Hij legde zijn arm om mijn schouder en bracht me naar buiten.

'Jij en Phyllis hebben echt fantastisch werk verricht,' zei hij, zijn ogen samengeknepen tegen het licht. 'Maar ik denk dat je moeder op dit moment beter af zou zijn in het Saint Luke.'

'Het tehuis?'

Hij keek me strak aan met zijn heldere blauwe ogen.

'Dit huis is aan het wegrotten, jongen. Ze overleeft het niet als ze hier de rest van de winter blijft.'

Hij keek op zijn horloge. Ik stelde me een slinger voor die in beweging wordt gezet.

'Ik regel alles wel,' zei hij. 'Bel me morgenvroeg.'

Ik keek hem na toen hij het pad afliep, de koude, heldere namiddag in, zijn schaduw als een lopende schaar op de harde grond, en ging naar binnen en herhaalde wat hij gezegd had.

'Onzin,' schimpte mevrouw Nagle. 'We doen hier ons uiterste best, John. Ik weet zeker dat je moeder veel liever in haar eigen huis is dan in zo'n oud hok voor afgeschreven beesten.'

Ik wilde haar maar wat graag geloven.

Toen ik die avond in slaap probeerde te komen, hoorde ik de overloop kraken en zag mevrouw Nagle in de deuropening van mijn slaapkamer staan, grijs haar tot over haar schouders. Ze stond daar een hele tijd, zo leek het, en keek alleen maar, tot ze zich omdraaide en mijn deur zachtjes dichtmaakte. Dat verontrustte me want het was niets voor haar zo stil te zijn, alsof de mevrouw Nagle van overdag, de ploertige, je-kunt-me-m'n-reet-likken mevrouw Nagle, een of andere act was, een façade van een nog ijziger, harder wezen. Mijn moeder werd alsmaar zwakker, en hier had je dit ouwe kreng, dat met de dag groter en sterker werd, alsof er een of andere vreemde transfusie van energie plaatsvond.

Ik draaide me op mijn zij en probeerde in slaap te komen, overmand door het vreselijke gevoel ontheemd te zijn, ik had heimwee, ondanks dat ik thuis was. Ik probeerde me steeds voor te stellen hoe het leven zou zijn zonder mijn moeder, en mijn borstkas deed zeer.

Enige tijd later werd ik met een schok wakker. De nacht was heel stil, het enige geluid kwam van takken die tegen de dakpannen tikten en de krakende botten van het oude huis. Ik stond op en ging kijken hoe het met mijn moeder was.

Haar bed was leeg, de dekens waren opengeslagen. Even dacht ik dat haar ziekte over was en ze weer helemaal bij zinnen was gekomen en misschien beneden ontbijt aan het klaarmaken was of de krant zat te lezen, maar er was niemand in de keuken behalve mevrouw Nagle, die lag te dutten bij het smeulende vuur. Ik trok mijn laarzen aan, gooide een jas over mijn warme ondergoed en ging haar zoeken in de achtertuin en de omliggende velden.

Alles was wit, zo wit dat het bijna pijn deed aan de ogen. Aan het hek hingen ijspegels en het gras leek wel bedekt met wit maanstof. De brandnetels stonden stijf van de vorst en de plassen op de grond waren gebarsten ramen. Ik riep mijn moeder, en de kou maakte witte wolkjes van mijn adem.

De hemel begon licht te worden in het oosten terwijl ik rondom ons huis zocht tot aan het land van Lambert. Ik haastte me over de bevroren velden, tastte het landschap met mijn ogen af op zoek naar mijn moeders gedaante, liep door tot de grond moerassig werd. Konijnenkeutels lagen als kiezelsteentjes op de pollen gras. Varens krulden op uit de grond, fijne spinnenwebben geweven tussen de bladeren van de veldzuring, doornstruiken en bramentakken verstrengeld in bizarre pornografische tableaus. Lamberts ondiepe vijver was aan de rand bedekt met een gelei van kikkerdril, dode kikkervisjes geconserveerd in cryogeen ijs.

De grond werd sponzig en onvast onder mijn laarzen, dreigde me naar beneden te zuigen, en ik stelde me krioelende wezens voor, diep onder de grond, weerzinwekkende inktvissen met ogen als schoteltjes en een vogelbek en tentakels vol zuignappen. Ik begon in paniek te raken. Ik was verdwaald. Mijn moeder was verdwaald. Wat als een of andere boosaardige veldgeest me op een dwaalspoor had gebracht?

De dageraad verspreidde zich over de aarde, grauw licht dat noch warmte noch hoop beloofde, enkel zijn eigen onvermijdelijke zelf. Opeens zag ik haar, stil en in de war tussen de doornstruiken. Ze had alleen haar nachtjapon aan en rilde heftig.

'Ma,' riep ik. 'Je vriest nog dood.'

Ze draaide zich om en staarde me aan, dringende blik, klapperende tanden.

'Ik m-moet de k-kinderbijslag ophalen.'

Ik trok mijn jas uit en legde hem om haar schouders en bracht haar door de genadeloze vroege winterochtend naar huis. Ik legde haar in bed en liep snel naar de badkamer om een warm bad voor haar te laten vollopen.

Mevrouw Nagle stond gebogen over de wastafel – ze had zich nog steeds niet aangeleerd om de deur op slot te doen. Eerst dacht ik dat ze haar handen aan het wassen was. Ze prevelde iets met zachte stem, als een psalm. Haar rechterhand hield ze met de palm naar beneden boven een kom melk. Aan haar pols bungelde een stuk twijndraad, met knopen erin als bij een rozenkrans. Ze had een brandende kaars in het zeepbakje gezet. De vlam flikkerde in de tocht die binnenkwam door de open deur. Ze keek op naar de spiegel, zag mijn gezicht en draaide zich vliegensvlug om.

'Ik schrik me rot,' zei ze, en leunde met haar rug tegen de rand van de wastafel zodat ik niets kon zien. Ze had een jurk van mijn moeder aan, maar die was haar veel te klein; de mouwen kwamen tot aan haar ellebogen en de zoom zat boven haar knieën.

'Wat bent u aan het doen?' vroeg ik.

'Niets. Ga maar weer naar bed. Je slaapt nog half. Je hebt vast gedroomd.'

Oude Kraai weet dat zijn levens niet meer dan droomverhalen waren, die de ziel aan zichzelf vertelt op het moment van sterven, dat zalige alchemistische gevoel als de metamorfose plaatsvindt en de wat-het-ook-is-essentie verandert in zwart licht, kinetische warmte, en je je vleugels kantelt, en glijdt en vormverandert naar het ergens-anders glipt, het absolute zwart transcendeert een dood trotserend virtuoosnummer, en alle zielen die in de hallen der eeuwigheid zijn samengekomen Wauw! en Bravo! en Wie Is Die Dappere Vliegmachine? roepen en applaudisseren bij het zien van levende materie die zich heeft getransmuteerd in stromen elektronen en – joehoe! – door elektriciteitsdraden en telexsystemen heen flitst, stroboscopisch licht van een donkere bliksemschicht dat de hemel doorklieft, zintuigen scherp als een laser, ogen als Zeisslenzen ingesteld op turbozoom, de lichaamsritmen en geestesmelodieën getransponeerd naar het opwindende gezoem van hoogspanningsmasten, de kern van thermonucleaire dromen, een elektrische geest van wiens aanwezigheid de levenden soms een voorgevoel kunnen hebben, manifest als achtergrondstraling in hun celgeheugen, geïnsinueerd in hun analogieën, een flauw vermoeden, enigszins bijtend, een plotseling wegvallen van druk als zijn gedaante door de witte mist van een televisiestoring flitst, vanuit een ooghoek gezien wanneer een zware regenval het scherm in samengestelde pixels verdeelt, zijn aanwezigheid vaag bespeurt wanneer de levende doden onderuitgezakt in hun flodderkleren voor de tv zitten, bioritmen op hun laagste pitje, een haarbreedte verwijderd van de dood, de laatste metabolische halte vóór terminus est, het witruisende niemandsland waar de doden en de levende doden zich met elkaar vermengen en één worden.

X

Als je het Saint Lukeziekenhuis binnenging kwam je eerst onder een pergola door, geborduurd met kruipers en hortensia's, die uitkwam op een bescheiden tuintje, in tweeën gesplitst door een betegeld pad, met bankjes langs het gras, van drie zijden overschaduwd door grote grijze gebouwen. In de grote eetzaal schalde misplaatst opgewekte popmuziek uit de radio. Op een plank aan de muur, een meter of drie van de grond, stond een televisietoestel, het geluid uitgezet, Doris Day ronddartelend in pyjama. Badstoelen en rolstoelen stonden ingeklapt en opgestapeld in de hoeken. De vloer rook naar boenwas en carbolzuur.

De bewoners waren voornamelijk vrouwen met verbaasde blikken, beenderige en hoekige lichamen als houten poppen die schots en scheef op hun stoel waren gezet. Sommigen hielden krampachtig een knuffelbeest in hun handen, die vooral uit knokkels bestonden, en mompelden wat tegen hun schoenen als ze geen steelse blikken op de pastelkleurige muren wierpen.

Sommigen waren broodmager en spichtig, anderen hadden dikke kwabben en een dubbele kin, hun armen en benen papperig als die van baby's. Een spichtige stokachtige vrouw met dubbel geslepen brillenglazen zwierf over telkens dezelfde denkbeeldige paden, haar slippers beschreven een ingewikkeld bijenpatroon en met regelmatige tussenpozen activeerde een veiligheidsbandje om haar enkel het slot op de voordeur met een luide klik.

In de paar weken dat ze hier was, was mijn moeder nog meer afgevallen en leek ze zich alsmaar verder in zichzelf terug te trekken. Het werd steeds moeilijker om te ontcijferen wat ze zei, en wat ik dacht te verstaan was vaag en verward. De verpleegsters mompelden meewarig tegen elkaar dat haar bloed net water was en bespraken of ze aan het infuus zou moeten of niet. Het grootste deel van de tijd bracht ze vastgebonden in een stoel door, als een peuter in een restaurant, een kommetje moes in haar trillende hand, haar ogen dof en glazig.

Op de dagen dat het niet regende moedigden de verpleegsters me aan om met haar naar de tuin te gaan. Ik hielp haar in haar jas en loodste haar de smalle gang door, met babystapjes waarbij we iedere keer dat haar lichaam vreselijk begon te trillen bleven staan, en de vogelvrouw met de dikke bril botste tegen onze rug als een of andere dolgedraaide robot terwijl wij in slow motion naar de deur schuifelden. Een van de verpleegsters kwam naar ons toe om een code in te toetsen op een paneeltje aan de muur, en zodra de zoemer ging duwde ze tegen de deur en hield hem voor ons open tot we buiten waren.

We gingen meestal op een bankje zitten en keken hoe vogeltjes op de pergola neerstreken. Ik stak de sigaretten van mijn moeder aan en pakte ze uit haar vingers als ze tot aan de filter opgebrand waren, kletste over het weer en was me er onaangenaam van bewust dat het haar waarschijnlijk ergerde dat ik tegen haar sprak alsof ze een sloom kind was. Eerlijk gezegd had ik geen idee wat voor houding ik aan moest nemen. Ik was me uiterst bewust van de oplettende blikken van de verpleegsters, alsof ze mijn gedrag als zoon probeerden in te schatten.

Soms als ik wegging, probeerde mijn moeder zich naar de blinde hoek van de verpleegster te manoeuvreren en de deur uit te glippen. 'Kom,' mompelde ze dan, 'we gaan naar huis', waarbij het precies articuleren van elk woord al haar energie en concentratie leek te vergen. Even speelde ik dan met de fantasie dat we er met zijn tweeën tussenuit zouden knijpen en misschien een auto zouden stelen en een benzinestation zouden overvallen en de rest van ons leven als voortvluchtigen zouden leven. Maar in plaats daarvan nam ik haar zachtjes bij de arm en parkeerde haar voor de verpleegstersbalie.

'Je kunt niet met me mee,' zei ik dan, en ik voelde me als zij zich moet hebben gevoeld toen ze me op mijn eerste schooldag achterliet in het klaslokaal. Dan dwong ik mezelf om weg te lopen, me bewust van de heldere, waterige ogen die me nastaarden, een gat in mijn rug brandden, door mijn borstkas heen, recht mijn verdorven kleine hart in.

Het enige wat ik na die bezoeken wilde doen was mezelf ergens gaan bezatten, om niets meer te hoeven voelen van wat er aan het gebeuren was. Op een avond ging ik bij slijterij Hyland langs in plaats van naar huis te gaan. Zoals gewoonlijk stond de oude man achter in de zaak naar een soapserie te kijken. Ik duwde de deur voorzichtig een klein stukje open, net ver genoeg om me doorheen te kunnen wurmen, niet ver genoeg om de bel te doen rinkelen, en griste een sixpack bier uit de koelkast en stopte hem onder mijn jas. Ik sloop naar buiten en liep snel het plein over naar het kerkhof en sloeg het dopje van een fles op de rand van een grafsteen.

Weldra begon er natte sneeuw met bakken uit de lucht te vallen, zo'n gemene, wraakzuchtige sneeuwstorm, die pijn doet aan je oren en tanden. Ik stopte de overgebleven flesjes in mijn jas. Zwaarbeladen en tinkelend dook ik Donahue's in, bestelde een glas bier en nam het mee naar het achterterras waar ik het bij zou kunnen vullen zonder betrapt te worden. Door de grote gasverwarmer voelde mijn gezicht aan als verbrand door de zon. Natte sneeuw beukte op de plastic overkapping boven mijn hoofd.

Vlak voor sluitingstijd kwam er een meisje naar buiten met

een wodka-nog-iets in haar hand. Ze was alleen, en ik kon het niet laten naar haar te staren. Je kon zien dat ze heel mooi was geweest, misschien zelfs een echte schoonheid, toen ze nog jong was. De structuur van de botten was nog intact, maar rond haar grote, hongerige ogen was een onuitwisbaar web van kleine lijntjes ontstaan. Ze had een spijkerbroek met een lage taille aan en een bloesje met bloemetjes erop geborduurd. Door dat bloesje was ze op de een of andere manier aandoenlijker dan als ze zich naar haar leeftijd had gekleed, alsof de wens om jong te blijven genoeg was om ook zo over te komen. Ze rilde van de kou, frutselde met haar aansteker en sigaretten en ving mijn blik.

'Heb je Gunter Prunty toevallig gezien?' zei ze, zichzelf omarmend. Ze sprak met een Londens-Iers accent. 'Grote kerel.'

Ik schudde mijn hoofd.

'Goed zo.'

Ze kwam naast me zitten op het bankje. Ik kreeg de indruk dat ze behoorlijk dronken was.

'Waar ken je Gunter van?' vroeg ik.

'Hij is mijn lo*ver*.'

Ze liet het einde van het woord zo lang ontrollen als een roltong, en nam een teug wodka.

'Ik heet Maggie.'

Ze gaf me haar hand. Ik schudde hem, probeerde niet te hard te knijpen, en zei haar hoe ik heette.

'Nou, John,' zei ze. 'Met zo'n handdruk krijg je nooit een meisje.'

Ik wist niet wat ik moest zeggen, dus liet ik haar hand maar los en nam een slok bier.

'Jij hing vroeger vaak rond met Jamey Corboy,' zei ze. 'Die was leuk.'

Ze zette het glas neer en knikte naar mijn glas.

'Nog één?'

Voordat ik antwoord kon geven, keek ze om zich heen en

trok de aandacht van een jonge gozer die de tafeltjes aan het afruimen was en bestelde nog iets te drinken. Toen ze haar tas openmaakte om te betalen, kon je zien wat voor een zootje het daarin was, los geld, make-up en bonnetjes. Ze gaf de jongen een tientje en zei dat hij de rest kon houden.

'Proost,' zei ze en tikte haar glas tegen het mijne. We bleven een poosje zwijgend zitten en toen zei ze: 'Ik heb een biertje voor je betaald. Dan moet je toch ten minste een praatje met me maken.'

'Praat jij maar en dan doe ik wel mee als je eenmaal op gang bent,' zei ik.

'Jezus. Een luisteraar.' Ze rolde met haar ogen. 'Da's zeldzaam. Zal ik je dan vertellen over de tijd dat ik werd misbruikt door mijn schoonbroer?'

Daar had ik niet op gerekend.

'Hoe oud was je toen?'

'Vierentwintig.'

'Vieren*twintig*. Dat is geen misbruik.'

'O nee?'

Ze friemelde met een gerafeld vriendschapsbandje dat om haar pols zat geknoopt.

'Vraag me nog eens iets anders,' zei ze.

'Heb je kinderen?'

'Twee abortussen. Jij?'

Zo ging dat een poosje door. Ik zei dat ze de grootste ogen had die ik ooit had gezien bij een meisje. Ze zei dat jongens als ik altijd vallen voor het Bambinummer, voordat ze beseffen dat meisjes als zij meer problemen opleveren dan ze waard zijn.

'Weet je,' zei ze, 'ik zag je vroeger elke ochtend als je op weg was naar school. Je zag er zo schattig uit in je uniformpje.'

Ik bloosde.

'Ik heb jou nooit gezien,' zei ik.

Ze stak nog een sigaret op.

'Misschien had ik een korter rokje moeten dragen. Dan was ik je misschien wel opgevallen. Hoe oud ben je eigenlijk?'

'Negentien.'

Ze negeerde de leugen, of liet het zichzelf geloven, en sloeg het grootste deel van haar drankje achterover.

Naarmate ons gesprek vorderde, kwam ze steeds dichter bij me zitten. Ik kan me niet herinneren wie van ons de aanzet gaf, of dat we het allebei tegelijk deden, maar toen we daar zaten op die lege binnenplaats, tussen de biervaten en de bankjes, zoenden we elkaar. Raar dat mensen die elkaar niet eens kennen elkaar op die manier kunnen zoenen, alsof het echt iets betekent. Er rinkelden aldoor alarmbellen in mijn hoofd, die me waarschuwden voor wat er zou gebeuren als iemand ons zou zien en Gunter erachter kwam, maar het leek er alleen maar lekkerder van te worden.

Toen de bediening ons eruit gooide liep ik haar naar huis.

'Slaapmutsje?' zei ze. 'Gunter heeft late dienst.'

Op dat moment zag ik het allemaal gebeuren. We zouden naar binnen gaan en aan haar keukentafel gaan zitten en er maar eentje drinken, en maar eentje zou er nog eentje worden, we zouden verhuizen naar de bank en beiden weten wat ervan zou komen, we zouden het niet kunnen tegenhouden; ze zou me mee naar de slaapkamer nemen, allebei te dronken om te voelen dat we iets verkeerds deden, we zouden geen schuldgevoel hebben, het zou voelen alsof het er niet toe deed wat we deden omdat het ons toch vergeven zou worden, en als ze 's ochtends wakker werd zou ik weg zijn en dat zou haar niet uitmaken. Het was alsof de daad eigenlijk al gepleegd was, en het zou slechts een formaliteit zijn om er werkelijkheid van te maken, een herhaling met onze lichamen van wat we ons geestelijk al hadden voorgesteld.

'Nee, dank je,' zei ik.

'Zeker weten?'

Die grote ogen. Ik dacht aan Gunter, aan wat hij Jamey en

mij had aangedaan. En toen dacht ik aan brigadier Canavan en hoe hij me had gedwongen om Jamey te verklikken.

'Nee, dat niet. Maar het is beter als ik naar huis ga. Ik moet morgen vroeg op.'

'Werk?'

'Ik moet mijn moeder opzoeken. Ze is in een tehuis.'

Maggie proestte het uit van het lachen maar hield zich even plotseling weer in.

'Sorry,' zei ze. 'Ik weet niet waarom ik dat deed.'

Toen ik wakker werd waren mijn ogen nat en mijn handen klauwden aan de lakens. Er lag een gele stroom opgedroogd braaksel op mijn kussen. Een afschuwelijke smaak in mijn mond. Ik haalde het bed af en stommelde naar beneden, maar bleef abrupt staan toen ik een envelop op de deurmat zag liggen. Jameys handschrift. Ik dumpte de vieze lakens op de vloer en scheurde hem open. Er zat een ansichtkaart in, met een paperclip aan een paar velletjes papier bevestigd. De foto op de voorkant toonde een trio muzikanten zittend op een tapijt met een druk patroon, die op exotisch uitziende fluiten en handtrommels speelden. Het opschrift luidde: DE MEESTERMUZIKANTEN VAN DE JOUJOUKA. Op de achterkant stond één enkele zin, geschreven in blokletters.

IK BEN ALS ENIGE ONTKOMEN OM HET U TE ZEGGEN

Ik ging aan de keukentafel zitten en bladerde door de papieren.

Het spook in de machine
Door **Jamey Corboy**

De verbindingsvlucht van Barcelona naar Boukhalef was vertraagd door mist. Drie uur met schrijnende ogen en gezwollen keel rondhangen in een hel verlichte terminal vóór het boarden. Het was een korte vlucht, wat enig soelaas bood, en toen ze geland waren schuifelde hij door de reusachtige stofzuigerslang van de uitstaptunnel het rollend trottoir op, ging twee trappen af en sloot zich aan in de rij voor de douane, gevriesdroogd door de koude vliegtuiglucht.

De vent van de autoservice zat onderuitgezakt op een stoel in de aankomsthal en hield vermoeid een bordje omhoog met zijn naam erop – MR. FIXER.

'Ik wou al bijna een tent opzetten,' zei de chauffeur terwijl de luchthavendeuren uit elkaar schoven, waardoor er een föhnwind van vochtige hitte naar binnen woei. 'Wil je je koffer achterin leggen?'

'Nee, liever niet.'

Ze liepen naar de parkeerplaats voor kort parkeren. Fixer voelde zich tot leven gestoomd. Zijn huid prikte nu al van het zweet.

'Australiër?' zei hij tegen de chauffeur.

'Kiwi.'

'Sorry.'

'Geeft niet.'

Avondverkeer zwermde door de medina. Het licht was onwerkelijk. Hij nam zijn portemonnee uit zijn zak en telde het dunne stapeltje dirhams dat hij gekocht had in het geldwisselkantoor en hoopte dat het niet zo'n hotel was dat bij aankomst een creditcardnummer of een aanbetaling wilde hebben voor het geval je gebruik wilde maken van de telefoon of de minibar. Hij vond het niet zo erg om te reizen, maar de onvoorziene uitgaven tastten zijn winstmarge aan. Een paar cent verlies op de wisselkoers hier, een kopje koffie of een krantje daar. Het telde zich allemaal op, bonnetjes vervingen de briefjes in zijn portemonnee. Kosten worden gedekt, had de klant hem verzekerd. Nou, het waren hun dollars. Hij had de zaak net zo goed in zijn lab kunnen oplossen. Ze hadden de DAT kunnen

FedExen, het dossier kunnen e-mailen, maar nee, te voorzichtig. Te paranoïde.

De chauffeur zette hem af bij het hotel. Hij checkte in en ging direct naar zijn kamer. Hij stak de keycard in het slot aan de muur en de lampen van zijn kamer flikkerden aan en de airconditioning zoemde tot leven. Hotelkamers zijn allemaal hetzelfde, dacht hij. Je betaalt alleen voor de grootte van de foyer. Hij liep naar het raam en tuurde naar de haven. Het begon avond te worden. Als er niet zo'n grijze nevel had gehangen, had hij misschien tot aan de andere kant van de Straat van Gibraltar kunnen kijken. Moeheid toverde spookachtige vormen tevoorschijn in de mist.

Hij zette zijn koffer op de grond, trok zijn schoenen uit en ging op bed liggen. Slaap kroop over hem heen, mistflarden sijpelden naar binnen via het rooster van de airco en insemineerden zijn dromen met jammerende stemmen als oproepingen tot gebed, echo's van exorcismen uit het verleden. En hij viel naar beneden, zoals dat altijd gebeurde, geduwd uit een vliegtuig of van een gebouw van twintig verdiepingen, om vervolgens wakker te schrikken alsof hij twee tellen voordat hij op de stoep terechtkwam een optater had gekregen van een defibrillator.

Hij staarde naar het plafond en wachtte tot het integrale deel van hemzelf zich had losgemaakt uit de droommaterie en weer in zijn lichaam zat. Het was veel te vroeg. Zijn lichaamsklok was helemaal door de war. Hij ging in een stoel bij het raam zitten en wachtte tot de zon opkwam. Na een poosje trok de nevel net genoeg op om schepen in dok te kunnen zien liggen. Een haven is een poort, zei hij tegen zichzelf. Net als thuis.

Hij doorliep de lijst met contactnummers in zijn telefoon en belde de luchtvaartmaatschappij.

'Hallo,' zei hij. 'Ik wil graag mijn retourvlucht wijzigen.'

'Natuurlijk, meneer. Mag ik uw gegevens?'

Hij haalde zijn ticket en boardingpass uit zijn binnenzak en gaf de nummers door.

De Amerikaan kwam om halfelf de lobby in. Lang, gekleed in een T-shirt en kakibroek, centenbak, baard dezelfde lengte als zijn kortgeknipte haar.

'Goeie vlucht?'

'Prima. Is het ver?'

'Het is vanaf hier te lopen.'

Ze verlieten het hotel en zigzagden door de marktkraampjes in de soek heen: schoenmakers, leerbewerkers, kopersmeden, fruitverkopers, tapijten en kleedjes.

'Vervelend dat je helemaal hiernaartoe moest komen,' zei de Amerikaan. 'Het management wilde geen toestemming geven om de tapes vrij te geven. Je kent het wel. Piraterij.'

'Groot geld, hm?'

'Zeker weten. Prioritylease. Eerste single van het album.'

De Amerikaan legde uit hoe urgent de situatie was. De track moest die week nog worden afgewerkt, gemasterd en geremixt voor een radio-editie. Dan kwam nog artwork, productie, de deadlines van het releaseschema, de perscampagne.

De Amerikaan was een bepaald soort producer. Fixer had even zijn naam gegoogeld en die was opgedoken bij een aantal grote platen. De Amerikaan was al jaren geleden hierheen uitgeweken, kende alle Berberse en Chaâbimuzikanten. Iemand in New York had hem een commissie voor veldopnames gegeven; exotische klanken voor een of andere platenbons. Hij had ongeveer een halfuur muziek opgenomen, er een sample van twintig seconden uitgelicht, maar toen die werd ingelast in de hoofdtrack, bleek er een of ander technisch probleem te zijn dat roet in het eten gooide. Drie dagen geleden had hij alarm geslagen.

Ze doken een smal steegje in en kwamen bij een vervallen gebouw naast een kapperszaak. Het zag eruit als een nucleaire bunker. De Amerikaan pakte zijn sleutels, maakte een hangslot open, duwde de deur opzij. Via een wenteltap kwamen ze een rommelige kamer binnen, die met jaloezieën verduisterd was, de lucht tastbaar van de vaag gekookte geur van kif. Snoeren opgerold als slangen op het tapijt met druk patroon. Studiomicrofoons en popfilters. Een mengpaneel dat eruitzag als iets uit de voordagen van de ruimtevaart.

'Ik zal je de opnames laten horen,' zei de Amerikaan. Hij ging op een draaistoel voor een computermonitor zitten, tikte op het toetsenbord, rolde naar het mengpaneel en schoof de masterfader omhoog.

Beats knalden uit krachtige speakers. Na een paar minuten werd de hoofdtrack opengereten door een passage van snerpende, oorverdovende geluiden, die klonken als schalmeien of doedelzakken.

'Waar komt het door?' zei Fixer.

De Amerikaan stond op, handpalmen op over de beklede rand van de mengtafel.

'Hierdoor.'

Hij duwde op een rij knopjes, waardoor onderdelen van de track wegvielen totdat hij de afwijking geïsoleerd had. Een jammerend geluid, als wind. Hoe vaak Fixer het ook hoorde, hij kreeg er steeds weer kippenvel van. Elk voorbeeld was net even anders, een minieme variatie op het vorige, alsof het geluid een muterend virus was, dat migreerde via spookfrequenties die uit de ether kwamen. Fixer stelde zich voor dat hij er flarden mist in kon horen, die de AI-dromen van de digitale hardware verstoorden, net zoals ze die van hem verstoord hadden.

'Ik weet niet waar het vandaan komt,' zei de Amerikaan. 'Ik heb alles geprobeerd. Kopiëren, remixen, opnames van het ene naar het andere spoor gebounced... Ik heb elk spoor afgeluisterd, maar ik kan het niet isoleren. Alsof het pas ontstaat als verschillende tracks tegelijk spelen.'

'Oké. Ik heb genoeg gehoord.'
'Kun je het eruit halen?'
'Natuurlijk.'
Fixer klikte zijn koffertje open en haalde de apparatuur eruit. Twee antieke analoge bandrecorders met A en B erop geschreven, op elkaar aangesloten met een navelstreng van verbindingssnoer. Grote knoppen, ingangen aan de zijkant, decibelmeters in de omhuizing verwerkt.
'Wauw,' zei de Amerikaan. 'Oude stempel.'
'Je moest eens weten.' Fixer drukte op beide apparaten de opnameknoppen in. 'Sluit maar aan op de mengtafel en speel het opnieuw af.'
De Amerikaan deed wat hem gezegd werd en zette de track weer vooraan. Dit keer waren er gekartelde sinuslijnen op de monitor te zien, maar er kwam geen geluid uit de speakers.
'Fuck,' zei de Amerikaan, en hij begon met de faders te schuiven. 'Waar is het gebleven?'
'Hier.' Fixer tikte op de bandrecorders. 'Ik leg het je zo wel uit. Laat eerst even uitspelen.'
Toen de track was afgelopen, drukte hij op elke recorder op stop en trok het verbindingssnoer eruit.
'Luister goed,' zei hij. 'Ik heb je mastertrack overgezet en opgeslagen in het apparaat met de A erop. Hij is schoon. De besmette frequenties zijn in quarantaine geplaatst op apparaat B. We noemen dat spoken wassen. Om de master te herstellen, zet je het mengpaneel op record en druk je op apparaat A gewoon op play. Het duurt zo lang als de track zelf. Maar zorg ervoor dat de masterfader op je hoofdpaneel helemaal naar beneden staat want anders wordt je track vervuild met randgeluiden.'
De Amerikaan staarde naar de antieke bandrecorder.
'Dit is een ultramoderne productie,' zei hij, 'en ik zou van dat ding een opname moeten overnemen?'
'Relax. De integriteit van de opname is bewaard gebleven.'
'Hoe dan?'

'Dat is gewoon zo. Neem dat maar van mij aan, ik verdien hier de kost mee.'

De Amerikaan keek weifelachtig.

'En die andere band? Die met de rare geluiden?'

'Die zal vernietigd moeten worden. Daar zorg ik wel voor.'

'Da's alles?'

'Da's alles.'

Fixer zette apparaat B terug in zijn koffer en maakte hem met een klap dicht.

'Denk eraan, zet het volume helemaal uit als je de track weer op het mengpaneel installeert. Ik ben in het hotel voor het geval je me nodig hebt. Je kunt het andere apparaat terugbrengen als je klaar bent.'

Hij ging de wenteltrap af, en liet zichzelf uit en was al snel verdwenen in het gewoel van de marktplaats. Hij stak zijn hand op en hield een taxi aan.

'Boukhalef graag,' zei hij tegen de chauffeur.

Toen hij aankwam op de luchthaven betaalde Fixer de taxichauffeur, checkte in bij de selfservice, en liep direct door naar de gate. Hij struinde langs een paar stalletjes en haalde een kop koffie uit een automaat. Een halfuur voor het boarden ging hij naar het herentoilet, liep een onbezet hokje in en sloot de deur. Hij belde de studio op. De Amerikaan nam op. Hij klonk nerveus.

'Zeg,' zei hij. 'Die black-boxrecorder van je. Je hebt zeker de verkeerde meegenomen of zo. Toen ik de track op het mengpaneel overzette, kreeg ik alleen die rare geluiden te horen. Ik heb je hotel gebeld, maar je nam niet op.'

'Dat komt omdat ik daar niet ben. Heb je een pen?'

'Hoezo?'

'Schrijf op wat ik zeg.'

Hij gaf de details door. Moest zijn stem verheffen om boven een mededeling via de intercom van de luchthaven uit te komen.

'Luister goed,' zei hij. 'Als je je cliënt opdracht geeft om voor vijf uur vanmiddag jouw tijd tienduizend dollar op die rekening over te maken, krijg je binnen een paar dagen een pakketje met het apparaat waarop de schone track staat. Als dat bedrag in de namiddag niet op de rekening staat, wis ik de track. Is dat begrepen?'

Hij verbrak de verbinding en liep naar de bar aan het eind van de vertrekhal. Bestelde een droge martini en nipte eraan, terwijl hij uit de grote schuine ramen keek.

'Inderdaad het beste wat u nu kunt doen,' zei de barman. Hij klonk Frans.

'Pardon?'

'Ziet ernaar uit dat u nog wel een poosje hier bent. Alle vliegtuigen moeten aan de grond blijven.'

Hij wees uit het raam. Een gele nevel was over de landingsbaan neergedaald.

'Mist.'

Nu mijn moeder in het ziekenhuis lag, kon mevrouw Nagle het niet langer rechtvaardigen in ons huis te blijven. En dat wist ze, want ze deed haar best om me niet in de weg te zitten. Het dagelijkse bezoek aan het Saint Luke nam me volledig in beslag, maar de spanning in huis werd al snel zo ondraaglijk als een zware hoofdpijn.

'Mevrouw Nagle,' zei ik op een ochtend, met mijn rug naar de haard gedraaid. 'Ik weet niet wat ik de afgelopen tijd zonder u had aan gemoeten.'

'Ach,' zei ze, terwijl ze haar tanden in een walnootbonbon zette, 'dat stelt niets voor. Ik kon jullie toch niet aan jullie lot overlaten.'

Ik schraapte mijn keel.

'U zult uw eigen huis wel missen ondertussen.'

Ze knabbelde het chocoladelaagje van de walnoot af als een paard aan een suikerklontje.

'Nee hoor, echt niet,' zei ze. 'In dat krot is het zo koud als in het voorgeborchte van de hel. De huisbaas doet er niets aan. Kan hem wat schelen als een oude vrouw eraan onderdoor gaat.'

Ik pakte de pook en rakelde het vuur op.

'Alles goed en wel, maar u zult toch een oogje in het zeil moeten houden. Als men denkt dat het leegstaat, wordt er misschien ingebroken.'

Ze gooide haar haar achterover.

'Er valt bij mij echt niets te halen.'

Ik tikte roet van de pook.

'Waar het om gaat mevrouw Nagle, is dat nu mijn moeder in het Saint Luke ligt, ik het zelf wel aankan allemaal. Uw taak zit erop, zogezegd.'

'Nou, dat dacht ik toch niet,' zei ze. 'Wie zorgt er dan voor jou?'

'O, met mij komt het wel goed. Ik ben een grote jongen.'

Ze pikte nog een bonbon en zette de doos op de armleuning van mijn moeders stoel.

'En waar moet jij van leven? Je hebt geen vak geleerd en met geld kun je niet omgaan. Net als je moeder. Ze was een harde werker, maar rijk was ze niet.'

Dat ze de verleden tijd gebruikte vond ik bijna net zo afschuwelijk als de onoprechte sympathie in haar ogen. Die blik verjoeg ze met het laatste restje van de walnootbonbon en er kwam iets van bezorgdheid voor in de plaats.

'Dus alle reden voor mij om je in de gaten te houden. We kunnen het toch prima rooien samen? Hoe dan ook –' Ze deed alsof ze hoestte. '– ik heb bij de huisbaas opgezegd. Ik dacht: met het geld dat ik bespaar op de huur kan ik jou enorm verwennen. Een jongeman heeft een goede vrouw nodig om voor hem te zorgen. En je moeder is lang niet fit genoeg –'

'Ik wil geen woord meer van u horen over mijn moeder.'

Ze legde een half opgegeten walnootbonbon in de doos en stond op, handen op haar grote brede heupen.

'Het wordt tijd dat je het onder ogen ziet, jongen. Ze heeft niet lang meer te leven. Ik ben de enige familie die je nog hebt.'

Mijn maag draaide zich om. 'U bent geen familie van mij, mevrouw Nagle. U moet echt weg. Ik heb geprobeerd het netjes te vragen, maar u luistert niet.'

Ze zette een stap achteruit en verhief zich in haar volle lengte. Het leek even of haar hoofd tegen het plafond zou stoten.

'John Devine,' zei ze. 'Hoe kun je me dit aandoen? Je moeder zou zich schamen. Je bent als een zoon voor mij.'

Ze griste haar jas van de rug van een keukenstoel.

'Koel jij eerst maar 's even af, bullebak,' zei ze. 'Ik ga even naar buiten, en als ik terugkom maak ik een lekkere lunch voor ons klaar en vergeten we dit kibbelpartijtje.'

Ze zwierde naar buiten, kin omhoog.

Ik legde de pook neer en zakte neer in de leunstoel.

Ik tastte mijn zakken af en vond Har Farrells visitekaartje, ging de hal in en draaide het nummer dat op de achterkant was gekriebeld. Hij nam op toen de telefoon voor de tweede keer overging.

'John, kerel,' zei hij. 'Hoe staat het?'

Het klonk alsof er spekjes lagen te bakken in de verbinding. Ik vertelde hem dat mijn moeder ziek was geworden, maar dat had hij al gehoord, dus bracht ik hem op de hoogte van alles wat er gebeurd was sinds mevrouw Nagle bij ons was komen wonen.

'Die geniepige ouwe taart,' gromde hij. 'Zeg maar wat ik kan doen.'

'Ik wil de sloten vervangen.'

Hij knorde.

'Makkie. Maar we moeten haar voor een uurtje of zo het

huis uit zien te krijgen. Ze is toch zo'n kerkpilaar, of niet?'

'Ze gaat door de week elke avond naar de mis.'

'Da's goed genoeg. Bel me de eerstvolgende keer dat ze weggaat. Dan zorg ik dat ik klaarsta.'

Ik kon zijn wangen bijna horen knisperen van het grijnzen.

'Ik wil die ouwe taart al een hele tijd terugpakken. *Athníonn ciaróg, ciaróg eile.*'

'Wat zeg je?'

'De ene oorwurm herkent de andere.'

Toen ik die dag aankwam op het Saint Luke merkte de verpleegster zoals altijd op wat een geluk mijn moeder had met zo'n goede zoon die haar zo vaak op kwam zoeken. Ik kon mezelf er niet toe brengen haar te zeggen dat ik nergens terecht kon, dat een bazige oude vrouw mijn thuis had overgenomen.

Het was een frisse dag, koud maar helder, dus ik nam mijn moeder mee de tuin in. Er was verder niemand. De mogelijkheid haar te laten ontsnappen uit dat tehuis, al was het maar even, leek plotseling heel dichtbij. Er was niets om ons tegen te houden.

Ik legde mijn arm om mijn moeders schouders en loodste haar onder de pergola door de oprijlaan af. Het leek belachelijk eenvoudig. Aan weerszijden van ons vertoonden psychedelische bloembedden hun kleurenpracht, narcissen en hyacinten knikten ons instemmend toe.

De hoofdingang kwam met elk stapje dichterbij. Ik werd ongeduldig omdat het zo lang duurde, dus ik legde mijn moeders handen om mijn nek, bukte en tilde haar op mijn rug. Ze woog niets en algauw had ik flink wat afstand gecreëerd tussen ons en het ziekenhuis, met mijn handen onder haar dijen geklonken, zo hard mogelijk rennend, snel genoeg om haar stiekem te ontvoeren voordat alleen nog haar scheenbenen over zouden zijn. Toen we in de buurt kwamen van het centrum van het dorp hoorde ik een geluid waar ik zo vertrouwd mee was dat het van binnen uit mijn hoofd had kunnen komen, een geluid waarvan ik niet had kunnen geloven dat het echt was als ik mijn moeders adem niet tegen mijn oor had gevoeld. Ze was aan het giechelen.

Mensen gaapten naar ons toen we het marktplein overstaken. Ik zette mijn moeder neer op de rand van het Father Carthymonument. Een zuur kijkende vrouw in een kamerjas stapte op me af en zei: 'Die vrouw hoort niet buiten te zijn.'

'Bemoei je met je eigen zaken,' zei ik.

Beledigd liep ze weg, wierp nog een paar wantrouwige blikken over haar schouder. Ik keek haar streng na, verontwaardigd en enigszins beschaamd. Hoewel het zacht weer was, zat mijn moeder te rillen. Ik wreef over haar handen en probeerde haar bloedsomloop op gang te brengen. We moesten ergens naar binnen, weg van al die nieuwsgierige ogen van bemoeizuchtige types, die ons misschien zouden herkennen en het ziekenhuis zouden bellen. Een veilige, warme plek.

Door Barracks Street en Donahue's in. Het was zaterdag en het zat er vol met mensen die naar het voetballen aan het kijken waren, maar het zithoekje was vrij en niemand besteedde aandacht aan ons. Ik bestelde twee sterke whisky's, veegde met mijn mouw het kwijl van mijn moeders kin en tuurde in haar glazige ogen, probeerde achter de sluier van haar starre blik te kijken. Ik kreeg het beeld in mijn hoofd van een kind dat gevangenzit onder de oppervlakte van een bevroren meer, klauwend aan de onderkant, een gedaante onder water bonkend tegen het ijs.

Ik stond op, twijfelde of ik nog wat te drinken zou halen of aanstalten moest maken om te gaan, en zag opeens Gunter Prunty in de deuropening opdoemen. Ik trok me terug in de schaduw maar het was te laat: hij had ons gezien. Hij liep recht op ons tafeltje af, grote ronde borst opgebold onder een AC/DC

T-shirt met afgeknipte mouwen. Hij had op iedere arm een tatoeage zo lang als een mouw, een of ander Keltisch symbool dat van zijn schouders tot aan zijn elleboog naar beneden kronkelde en spiraalde.

Ik keek hem aan en bereidde me voor op het ergste. Gunter staarde terug, onbeweeglijk, alsof hij niet wist wat hij moest zeggen.

Mijn moeders hand bewoog zich naar haar glas, maar ze greep mis en sloeg het van tafel. Het glas stuiterde op de tegels, whisky rondspattend, en rolde tussen Gunters motorlaarzen. Hij staarde even naar het glas, bukte, raapte het op en zette het op tafel. Hij liep met grote passen naar de bar en plaatste zijn voet op de steun, wenkte naar een meisje dat stond te bedienen en wees met zijn duim in onze richting. Het meisje knikte. Ik wist niet zeker wat er aan de hand was. Misschien probeerde hij ons eruit te laten gooien. Ik twijfelde of ik moest blijven zitten of mijn moeder hier snel vandaan moest zien te krijgen, maar toen kwam het barmeisje naar ons toe met twee glazen whisky op een dienblad.

'Die meneer aan de bar heeft ervoor betaald,' zei ze en wees naar Gunter, die zich verdiepte in een glas donker bier.

Het was de eerste keer dat ik hem meneer had horen noemen. Hij pakte zijn glas en ging door de achterdeur naar buiten om te roken. Mijn moeder keek hem na. We nipten van onze whisky, maar mijn moeder scheen er na een paar slokjes geen zin meer in te hebben, dus hielp ik haar overeind en nam haar mee naar buiten en tilde haar op mijn rug. Ik begon te lopen, wist niet waarheen, maar we moesten in beweging blijven.

Mijn voeten leidden me recht over het plein, door het hek om de kerk heen en onder de boog door. Ik dipte mijn hand in het bakje wijwater, zegende mezelf en depte een beetje op mijn moeders voorhoofd en loodste haar naar een bankje. We hadden de hele kerk voor ons alleen. De plechtige sfeer en het schemerlicht waren kalmerend en geruststellend. Lichtstralen schenen diagonaal door de glas-in-loodramen en vormden een poel op de grond, de kleur van olie op water.

Na een poosje viel mijn moeders kin op haar borst en begon ze zachtjes te snurken. Ik liet haar sluimeren en luisterde naar de vage druppelgeluiden en echo's van schuifelende voetstappen van een enkele bejaarde die binnenkwam om te bidden of een kaarsje aan te steken.

Ik nam de stenen heiligen in me op, de veertien kruiswegstaties, het zachte licht dat op het tabernakel viel, het kruisbeeld van Christus, Zijn gezicht afgewend alsof Hij ergens van walgde. We waren alleen. Niemand hield ons in de gaten.

Het brandende gevoel in mijn maag nam af en veranderde in een lichte wanhoop. Ik hield mijn hoofd achterover tot het de kerkbank raakte en staarde omhoog naar het gewelfde plafond van de kerk tot ik er duizelig van werd.

Het luiden van de angelusklok bracht me weer volledig bij bewustzijn. Weldra zouden de pastoor en de misdienaren de avondmis voorbereiden. Mevrouw Nagle zou zich klaar gaan maken om het huis uit te gaan, haar wollen muts opzetten en haar jas aandoen en zich met een weeïg zoet parfum bespuiten.

Buiten had de ondergaande zon het hele stadje de kleur van honing gegeven. Ik hees mijn moeder weer op mijn rug en we gingen, ik met langzame stappen, richting het ziekenhuis. De geur van gebakken uien greep om mijn hart, die zaterdaggeur van toen ik klein was, mijn lievelingsdag, wanneer mijn moeder niet hoefde te werken en ik wat lag te luieren en mijn stripboeken las terwijl zij een biefstuk voor ons bakte.

Geuren overspoelden de avond, rook uit de schoorstenen, echte geuren die zich vermengden met denkbeeldige die uit het verleden aan kwamen drijven, de geur van mijn moeders parfum als we zondags naar de mis liepen, de geur van wierook in de kerk, de helemaal-geen-geur van Jameys huis, de geur van Ollies zuurtjes, de gebakken eieren die mijn moeder voor

Jamey en mij had gemaakt, de geur van panisch angstzweet in het politiebureau van Ballo, de geur van aardbeiensap aan mijn handen de hele zomer lang, de stank van de vuilnisbelt, de geur van het lichaam van Molly Ross toen ze boven op me kwam zitten, de insectenspraygeur van mevrouw Nagle, de geur van Jude Udechukwu's aftershave, de geur van Maggies adem op mijn huid, de geur van de kruipers en de bloemen aan de pergola van het Saint Luke, de geur van carbolzeep toen we door de deur gezoemerd werden, het gezicht van de verpleegster paars van woede toen ze mijn moeder van me overnam en een van de begeleiders instrueerde om haar in een deken te wikkelen en naar bed te brengen, en vervolgens nam ze me mee naar haar kantoor en gaf me een uitbrander, zei tegen me dat mijn moeder longontsteking had kunnen oplopen of onderkoeld had kunnen raken en wilde ik die vrouw soms dood hebben of zo. De volgende keer dat ik op bezoek kwam, waarschuwde ze me, zou ik niet worden binnengelaten tenzij ik een veiligheidsenkelband omdeed.

Het kon me niets schelen. Ze deden slechts wat zij dachten dat het beste was, haar dagen uitrekken zoals een gierigaard zijn geld zou tellen. Maar die dagen waren te kostbaar om niets mee te doen. Ik wilde niet dat haar hele leven aan betekenis zou inboeten door die laatste dagen van ziek zijn. Zoals ik het zag, kon haar dood niet snel genoeg komen, des te beter zouden haar herinneringen aan alles wat er in haar leven gebeurd was bewaard blijven, zelfs de dromen die nooit waren uitgekomen.

Mevrouw Nagle was al naar de mis tegen de tijd dat ik thuiskwam. Ik keek in alle kamers en zelfs in de achtertuin, maar ze was nergens te bekennen, dus belde ik Har Farrell. Binnen een paar minuten stopte zijn busje voor het hek. Hij liep branieachtig het pad op, gekleed in een overall, gereedschapskist in de hand.

Hij grijnsde door de snor die hij sinds de zomer had laten staan heen, waardoor hij eruitzag als een lichtelijk gestoorde beer, en zette de gereedschapskist op het stoepje voor de deur, een groot blauw gevaarte, dat zich naar twee kanten uitvouwde tot een trap met schappen en geheime compartimentjes, als een of andere Chinese puzzel.

'Zet het water maar op,' zei hij. 'Twee theezakjes, drie lepeltjes suiker en een scheutje melk.'

Har werkte in rap tempo, borend en schroevend, alleen pauzerend om een slok thee te drinken. Hij verving de sloten, bracht een klavierslot aan en monteerde nachtsloten op de achter- en voordeur. Toen hij klaar was pakte hij de gereedschapskist weer in en overhandigde me een nieuw setje sleutels.

'Pak de spullen van die oorwurm bij elkaar en dump ze buiten voor de deur,' zei hij, terwijl hij in zijn busje stapte. 'En trap niet in dat zielige oudedamesgezemel. Als je je poot nu niet stijf houdt, kom je nooit van haar af. Als we niet oppassen begraaft ze ons alle twee nog.'

Ik deed wat hij zei. Alle bezittingen van mevrouw Nagle, haar korsetten, haar ondergoed, haar bonbons, stopte ik in een vuilniszak en zette hem in de voortuin. Het gras was lang geworden en de struiken waren verward en verwilderd in de afwezigheid van mijn moeders handen.

Ik deed de deuren op slot en maakte overal in huis de ramen open, als om mevrouw Nagles aanwezigheid uit alle kamers te verjagen. Ik leegde de vuilnisbak en maakte de keukenkastjes schoon. Ik maakte zelfs het hokje onder de trap leeg, en vond daar de oude kruisboog en de koker vol met pijlen, die ik voor mijn tiende verjaardag van Har had gekregen. Ze waren in een oude kolenzak gewikkeld, bedekt met een laagje steenkoolgruis maar niet verroest. Ik graaide door de rommel die zich onder mijn moeders leunstoel verzameld had, bonbonwikkels, kranten en pluizen. En iets anders. Een boek.

Ik trok het naar me toe.

Harpers Compendium van Bizarre Feiten uit de Natuur.

Mijn moeder had het al die tijd bewaard. Ik stofte de kaft af en bladerde het boek door. De plaatjes en illustraties kwamen voorbij als flashbacks naar mijn kindertijd. Het opschrift op het schutblad luidde:

Voor John
Van Phyllis Nagle

Mijn hoofdhuid kriebelde. De bladzijden van het boek voelden als dode huid in mijn handen.

Ik nam het boek, de kruisboog en de pijlkoker mee naar buiten. Ik legde het boek op het pad door de voortuin en hield mijn aansteker bij de hoekjes van de bladzijden. Een licht briesje wakkerde de blauwe en oranje vlammen aan. Bladzijden verschrompelden tot zwarte schilfers, die als motten de lucht in fladderden. Ik ging op het stoepje zitten met de kruisboog op mijn schoot en keek toe hoe ze verbrandden.

'Dus je hebt je boek gevonden.'

Mevrouw Nagle stond voor het hek te kijken naar haar bezittingen, die uit de zak puilden en op het gras waren gevallen.

Ik trok de pees over de lade naar achteren en spande hem. Vervolgens pakte ik een pijl uit de koker, plaatste hem in het staartstuk en ging tegenover mevrouw Nagle staan.

'Ga naar huis,' zei ik. 'En blijf daar.'

Die avond doezelde ik weg in de leunstoel, tot ik wakker werd van de regendruppels die tegen het raam spetterden en in de lege haard ploften. De motregen zwol aan tot een monotone stortbui, die met een niet-aflatend gesis op het leien dak viel. Ooit had ik het heerlijk gevonden om naar dat geluid te luisteren terwijl ik knus onder de dekens lag, in de geruststellende wetenschap dat beneden het vuur knapperde in de haard en mijn moeder zat te lezen in haar leunstoel, maar nu klonk de slagregen als krankzinnige stemmen, als muziek van de waanzin. Regen, een geluid dat ik altijd had geassocieerd met mijn moeders hoofdpijn, haar zondagmiddagdutjes. De verveling, alleen in een leeg huis zitten en mezelf proberen te amuseren. Nu was ze weg, maar het gevoel was hetzelfde.

Toen het ophield met regenen en de zon opkwam, sleepte ik mezelf naar boven, voelde me rillerig en lichaamloos, sliep aan één stuk door, tot ver in de middag, toen ik gewekt werd door de telefoon.

Het was een verpleegster van het Saint Luke.

'Je kunt maar beter hierheen komen,' zei ze. 'Het gaat niet zo goed met je moeder.'

De hemel boven Kilcody was dieprood, dikbuikige wolken trokken door het firmament als kuddes wolharige mammoeten. Ik haastte me naar het dorp, niet bij machte tegen te houden wat er aan het gebeuren was. Het was alsof alle momenten waaruit ons leven bestond achter elkaar waren gezet, als dominostenen, een kettingreactie van gebeurtenissen, waarbij de ene de volgende versneld op gang bracht, het aantal dagen dat we hebben vooraf bepaald en gepland sinds het begin der tijden, en wij waren allemaal slechts schepselen gemaakt van miljarden stofdeeltjes die in de imploderende sterren van ons lot gezogen worden.

Ik wilde die fatalistische sterren vragen om respijt, om kwijtschelding. Lammetjes blaatten in de velden, het klaaglijke vibrato van hun roep vreemd menselijk, alsof ook zij de sterren om genade smeekten. Maar er was geen weg terug. Ik dwong mezelf vooruit tot ik aankwam bij het Saint Luke. De bloembedden stonden in bloei, witte bloesemblaadjes als sneeuwvlokjes over het gras verspreid. Op de pergola zat een mus. Ik drukte op de zoemer en een verpleegster bracht me naar een kamer vol met bedden en slapende vrouwen, uitgedroogde omhulsels, hoofden verzonken in kussens, neuzen in de lucht alsof ze iets roken.

De gordijnen rondom mijn moeders bed waren voor driekwart dichtgetrokken, overal slangetjes en katheters. Haar borstkas ging op en neer, elke ademtocht kostte veel inspanning. Ik ging naast het bed zitten, veegde het haar van mijn moeders voorhoofd en pakte haar schriele hand. Ze opende haar ogen en slaagde erin een flauwe glimlach te produceren. Ik liet haar een slokje water drinken uit het glas dat op haar nachtkastje stond. Ze probeerde iets te zeggen, maar het was niet haar stem, slechts de schim ervan, alsof haar eigenlijke stem was weggezogen door een succubus en alleen deze hese fluisterstem was overgebleven.

'Weet je nog van die zieke haas?' zei ze. 'Toen je klein was?'

'Ja, dat weet ik nog,' fluisterde ik, bang dat als ik harder zou praten haar lichaam tot as zou vergaan. Ze leek nog iets anders te gaan zeggen, maar toen vielen haar ogen langzaam dicht.

Buiten verschoot het gouden avondlicht naar een verbleekt geel, daarna begon het te schemeren en ten slotte werd het donker. Ik zat naast het bed en waakte tot in de vroege uren, verlamd door de realiteit van wat er aan het gebeuren was, haar doodgaan, *ze gaat dood,* die gedachte maalde door mijn hoofd, telkens opnieuw tot ze geen betekenis meer had en ik alleen maar wilde dat het allemaal voorbij was, op de voet gevolgd door de tegenovergestelde gedachte, de wens dat mijn moeder bij me bleef, tegenstrijdige gedachten die met elkaar verbonden waren, achter elkaars staart aanrenden, urenlang in een kringetje rondgingen.

Vlak voor zonsopgang kwam ze weer in zichzelf terug. Haar ogen waren helder als sterren, gefixeerd op iets onduidelijks in de verte, als die van een blinde. Ze tastte naar mijn hand en vroeg hoe laat het was. Toen ik het haar zei scheen ze blij te zijn met mijn antwoord en viel weer in slaap. Weldra werd haar ademhaling steeds moeizamer en begon haar lichaam te trillen. Iets in mij herkende die sidderingen en ik wist dat ze in doodsnood verkeerde. Ik riep de verpleegster. Ze onderzocht mijn moeder, werd energiek en zakelijk, en ik besefte dat ze dit vele malen eerder had gedaan.

'Ik ga de pastoor wel halen,' zei ze. 'Ik hoop dat er nog tijd is. Heb je een sigaret?'

Ik haalde het pakje uit mijn zak en wilde het aan haar geven, maar ze schudde haar hoofd en opende het raam.

'Steek er maar een op. Misschien dat ze een beetje bijkomt van de geur. Kan haar misschien nog dat laatste beetje genot geven.'

'Krijgen we daar geen problemen mee?'

'Gewoon niks zeggen. Als iemand ernaar vraagt, doe je alsof je niet beter wist.'

Ik ging zitten en blies rook over mijn moeder heen. Haar lichaam beefde alsof ze barensweeën had. Ik dacht aan de nacht dat ze mij gebaard had, alleen baarde ze nu zichzelf, haar leven uit en de dood in, en met elke inademing inhaleerde ze de rook en met elke uitademing blies ze een laatste restje adem uit. Haar hand greep zich vast aan mijn hand zoals hij zich moet hebben vastgegrepen aan die van de vroedvrouw toen ze me uit haar buik perste, en ik moedigde haar aan de overstap te maken.

De pastoor arriveerde, slaperig en ongekamd. Hij gaf me een klopje op mijn schouder, sprenkelde wijwater over het bed, hield het kruisbeeld omhoog en prevelde een gebedje.

En vervolgens keken we toe, met zijn drieën, terwijl de dag aanbrak en de zon zwakjes door het raam scheen en mijn moeder wegsidderde, en het laatste geluid dat ze maakte leek op geen enkel geluid dat ik ooit gehoord had, een zucht, de essentie van haar leven vrijgelaten uit haar mond.

De verpleegster trok de gordijnen dicht en liet me even alleen. Ik keek naar mijn moeders ogen, open bevroren alsof alles wat ze gezien had nog steeds intact op haar netvlies stond, gevangen in het barnsteen van haar laatste seconde op aarde. Mijn schouders begonnen te schokken en water stroomde over mijn gezicht, ik deed mijn ogen dicht en riep alle momenten met haar bijeen, haalde alle dagen van haar wezen op uit de kern van mijn lichaam. Ik huilde haar uit me tot ik opgedroogd was.

Har hielp me met het regelen van de begrafenis, het overlijdensbericht in de krant, de mededeling via de plaatselijke radiozender, de bloemen, de kaarten voor de mis. Ik had geen idee dat er zo veel moest gebeuren. Har werd er filosofisch van.

'Deze dingen zijn allemaal bedoeld voor de levenden,' zei hij, 'niet voor de doden. Ze zijn bedoeld om de mensen bezig te houden zodat ze geen tijd hebben om in te storten. Als de begrafenis voorbij is, dan moet je uitkijken. Dan pas krijg je de volle laag.'

Hij drukte een stapeltje bankbiljetten in mijn hand. Het was meer geld dan ik ooit bij elkaar had gezien. Hij duldde geen tegenspraak.

'Is voor jou, jongen.'

Op de vooravond van de begrafenis stond ik voor de kerk en nam gefluisterde condoleances in ontvangst en schudde de hand van iedereen die zijn hand geschud wilde hebben. Dee Corboy kwam uit de menigte naar voren. Het was vreemd om haar helemaal in het zwart te zien. Ze omarmde me en wapperde met haar handen voor haar gezicht, joeg onzichtbare tranen weg.

'Sorry,' zei ze. 'Ik ben helemaal niet goed in dit soort dingen.' Ze ging naast me staan wachten tot iedereen weg was en nam me bij de arm.

'Kom op,' zei ze. 'We gaan er een drinken. Ik betaal.'

Ze nam me mee de hoek om naar The Ginnet. Het was meer een kleine kamer. In plaats van bordjes met dames- en heren-wc stonden er oude Griekse of Romeinse symbolen voor vrouwen en mannen op de deur.

'Ik kom hier graag,' zei Dee. 'Het is rustig. Voornamelijk leraren en mensen van de toneelvereniging.'

'Heeft Kilcody een toneelvereniging?'

'Misschien dat ik erbij ga. Ik heb altijd al toneel willen spelen.'

Ze bracht me een glas whisky en had een glas wijn voor zichzelf.

'Op uw gezondheid, mevrouw Corboy,' zei ik terwijl ik mijn glas hief.

'Je zult me binnenkort toch echt Dee moeten gaan noemen. Mevrouw Corboy ben ik niet lang meer.'

Ze stak haar kale ringvinger omhoog. Ik wist niet goed wat ik moest zeggen, dus zei ik maar dat ik het jammer vond om dat te horen.

'Hoeft niet, hoor,' zei ze. 'Ik vind het niet jammer. Ollie en ik gaan in een appartement hier in de stad wonen. Ik ga weer studeren.'

Ze nam een slok van haar glas en strekte haar benen uit. Ze had zwarte laarzen aan, die tot aan haar knieën kwamen. De hakken waren dodelijk.

'Iets gehoord – '

'Gisteravond. Ik heb hem verteld dat je moeder erg ziek was. Hij vond het heel erg om te horen. Zei dat hij zou schrijven. Hij heeft het razend druk gehad met alles wat er gebeurd is.'

Het whiskyglas bleef halverwege mijn mond steken.

'Alles wat er gebeurd is?'

Ze bekeek de niet-begrijpende blik op mijn gezicht.

'Heb je dat niet gehoord? Natuurlijk niet. Je hebt genoeg aan je hoofd gehad. Het stond vandaag in de *Sentinel*.'

Ze maakte haar handtas open, haalde er een krantenknipsel uit en gaf het aan mij.

Hiphopster werkt samen met jongeman uit Ballo
Van onze verslaggever Jason Davin

Een zeventienjarige jongeman uit Ballo was deze week onderwerp van gesprek in de binnenlandse muziekindustrie toen bekend werd dat hij een aantal songteksten heeft bijgedragen aan het verwachte album van hiphopper Cujo, alias Lewis Dillon, die al meerdere platina platen op zijn naam heeft.

James Corboy, voorheen woonachtig op Fairview Crescent in Ballo, raakte met de tweeëntwintigjarige rapper uit Brooklyn bevriend toen ze elkaar vorig jaar in Marokko leerden kennen. De twee werkten later samen aan een stuk of vijf liedjes voor het nieuwe album, dat vooralsnog geen titel heeft. Bronnen in de muziekindustrie gaan ervan uit dat de tekstuele bijdrage van de tiener hem waarschijnlijk een substantieel bedrag aan royalty's zal opleveren.

In een bizarre samenloop van omstandigheden is echter aan het licht gekomen dat de plaatselijke politie naarstig probeert te achterhalen waar de jongeman momenteel verblijft. Naar verluidt was hij afgelopen augustus weggelopen uit de Balinbagin Jeugdinrichting, waar hij een jaar in voorlopige hechtenis zat voor een beschuldiging in verband met een inbraak in de kerk van Kilcody vorig jaar. Toen de Sentinel *contact opnam met de moeder van de jongeman, Deirdre Corboy, weigerde deze ieder commentaar.*

Ik legde het krantenknipsel terug op tafel.

'Is dit een grap?' vroeg ik.

Dee schudde haar hoofd.

'De platenmaatschappij heeft contact met me opgenomen. Ik moest allerlei papieren tekenen vanwege zijn leeftijd. De hele stad is schijnbaar in opschudding. Niet te geloven, toch?'

'O, jawel hoor,' zei ik, en glimlachte.

Ik had waarschijnlijk gechoqueerd moeten zijn. Misschien

was ik door alles wat er in de afgelopen paar dagen was gebeurd zo verdoofd dat niets me meer kon verbazen. Ik gaf het knipsel aan Dee, maar ze wuifde het weg.

'Hou maar,' zei ze. 'Ik heb wel een stuk of tien kranten gekocht om aan zijn ooms en tantes te sturen. God, ik wist niet eens dat hij songteksten kon schrijven. Ik ben jaloers.'

Ze nam een slokje wijn.

'Raar, hij is pas een paar maanden weg en ik ben nu al bijna vergeten hoe hij eruitziet. Ik moet oude foto's voor de dag halen om het me te herinneren. Is dat niet vreselijk?'

Ik sloeg de whisky achterover.

'Dat is mij ook gebeurd.'

We bleven zwijgend zitten. Dee keek op haar horloge.

'O jee. Ik moet Ollie ophalen bij zijn vader.'

Ze dronk haar glas leeg.

'Loop even met me mee naar de auto.'

Het was niet echt een bevel, maar ik kreeg het gevoel dat Dee eraan gewend was haar zin te krijgen. Ik kon me voorstellen dat ze nogal het prinsesje moet zijn geweest toen ze klein was. Dat was ze waarschijnlijk nog steeds. Haar nieuwe auto stond geparkeerd op het plein.

'Ik heb Maurice een week voordat ik hem verliet zover gekregen om die voor me te kopen,' zei ze, terwijl ze met haar zapper het alarm uitzette. 'Maar misschien ruil ik hem wel in. Ik ben niet gewend aan een automaat. Ik weet niet waar ik mijn handen moet laten.'

Ze gaf me een kneepje.

'Maak het niet te laat. Je moet morgen naar een begrafenis.'

Ik keek haar na toen ze wegreed, liep The Ginnet weer in en ging aan de bar zitten, maar hoeveel glazen ik ook achteroversloeg, ik scheen maar niet dronken te kunnen worden.

De volgende ochtend werd ik vroeg wakker en dwong mezelf om me te wassen en de schoonste kleren aan te trekken die ik kon vinden. De radio zei dat er storm op komst was, maar vooralsnog was het mooi weer. Er waren ontzettend veel mensen op de begrafenis. Ik deed wat van me verwacht werd: liep achter de lijkwagen en nam samen met Har en een paar baardragers van de begrafenisonderneming de kist op de schouders. We zetten hem neer op een paar latten, die over het graf lagen, dat gaapte als een open wond in de rauwe aarde.

Toen de pastoor de slotwoorden begon te spreken, liet Har een heupfles whisky in mijn zak glijden.

'Voor medische doeleinden,' mompelde hij.

Ik nam stiekem een slok en vroeg me af waar Jamey nu zou zijn. Op dat moment was zijn afwezigheid voelbaarder dan ooit. Ik keek om me heen naar al die treurige gezichten.

'Ik wist niet dat ze zoveel mensen kende.'

Har grinnikte.

'Ze maakte zowat elk huis in Kilcody schoon. Die mensen hebben je moeder dingen verteld die ze niet eens aan een pastoor zouden vertellen.'

Er fluisterde een bries door de bladeren van de eeuwig groene bomen rondom het kerkhof.

De pastoor was klaar met de gebeden. We pakten de riemen beet en een paar mannen trokken de planken weg. We lieten de kist zakken. Toen de grenen kist op de bodem stond en de riemen eronderuit waren getrokken, raapte ik een witte krans op, die iemand voor mijn voeten had gelegd, en gooide hem in het open graf. Toen de eerste schep aarde op het deksel van de kist uiteenviel, zei ik vaarwel, mijn moeder tussen de bloemen.

Maar het staat in de droom geschreven dat de kraaien aan het einde der tijden hun stem terug zullen krijgen, en hun god zullen loven, en zullen zingen.

XI

Blaasgatbaai voelde als het eind van de wereld, het laatste deel van de atlas dat in kaart was gebracht, waarachter de zee wellicht verdampte en monsters onthulde die op een zandbank gestrand waren, dikbuikige mutanten, zeepieren zo groot als boomstammen.

De branding brulde in mijn oren. De hemel gromde gedonder, legde de meeuwen het zwijgen op. Ik tuurde uit over de slikken en nam een slok whisky uit Hars heupfles, zo hondsmoe dat ik bang was dat ik flauw zou vallen. Het licht had iets broos, wat pijn deed aan mijn ogen; tentakels blauwe elektriciteit speelden over de fonkelende vuurstenen die over het strand verspreid lagen.

De begrafenis was al uren voorbij. Ik kon het idee van een leeg huis niet aan, dus nam ik de weg de stad uit, volgde mijn neus richting zee, in een soort wandelslaap gesust door de parade van mijn zware schoenen op het asfalt. Ik bleef gewoon doorlopen tot het land onder mijn voeten op was, en tegen die tijd was ik flink dronken.

Ik besteeg de heuvel en strompelde de zanderige helling af naar de waterkant. Ik struikelde over kwallenslijm en dood zeewier, volgde de kustlijn door spetters regen en wolken muggen heen, en het fijne witte zand veranderde in modderbanken bestrooid met rottende kelp. Krullende golven schuimden in de branding. Die grote ouwe zeeheks liet me haar tanden zien. De wind rimpelde mijn shirt en maakte panfluitgeluiden met de heupfles.

Ik bleef doorlopen, half voorovervallend, tot ik ten slotte de bocht in de kustlijn omkwam en de baai vond.

Beschermd tegen de wind en de regen ging ik in elkaar gedoken in de mond van de Blaasgatgrot zitten en dronk whisky. Mijn borst zat dicht met slijm en mijn ribbenkast deed pijn en ik besefte dat ik voor het eerst sinds dagen honger had, stierf van de honger, spijsverteringsorganen als duizenden hongerige monden.

Regendruppels maakten vlekken op het zand. Ik trok mijn jas strak om me heen en keek hoe de hemel donker werd en de regen steeds harder viel, totdat het water opborrelde uit het zand. Bliksemschichten flakkerden op en donderslagen rommelden als pauken langs de puntige onderkaak van de horizon. De regen werd een stortvloed, maar binnen in de grot was het droog. Het blaasgat zong, en in zijn lijkzang meende ik flarden van een oude hymne te herkennen, mijn moeders slaapliedje.

Who's that a-writin'?

Ik nestelde me in het zand, sloot mijn ogen en begroef mijn hoofd in mijn elleboogholte als een moe vogeltje. En ik was weg, weg uit mezelf en ik tuimelde in een bodemloze slaap, mijn lichaam zonk als een steen in troebel water, bleef vallen totdat ik mijn ogen opende en besefte dat ik helemaal niet aan het vallen was, maar met armen en benen wijd op de zanderige grond van een of andere geluidloze droom lag te staren naar de onvermijdelijke hemel.

En ik zag hem, hij kwam op me afwieken over zee.

De oude kraai.

Hij gloeide, reusachtig en lichtgevend, vloog boven de golven, wierp een onmetelijk galjoen van schaduw over de zee. Hij kwam nog dichterbij, met klapperende vleugels, bleef toen stil in de lucht hangen en tuurde naar beneden, zijn hoofd verduisterde de ondergaande zon; met zijn vleugels liet hij de nacht neerdalen en zette zijn klauwen op het zand, witheid verspreidde zich over zijn hele lichaam, verspreidde zich tot hij tot op de laatste veer glinsterde. Toen ging hij weer op de vleugels, zijn grote snavel naar de bergen gericht.

Hij zweefde in de grillige schaduwen van de steile rotsen, over de kale steppen van krijtsteen bestoppeld met hard gras, dat ongeschikt was voor geiten, waar de heuvelvelden zich verhieven als zeemonster met enorme groene ruggen, hoger, hoger en hoger vloog hij door de hoogten, waar de stratosfeer donkerder werd, van flets blauw tot inktzwart, en vondelingsterren in de hemel opdoken als de gezichten van de doden, en het leek alsof zijn vleugels de schil van de hemel pelden, en een nieuwe hemel en een nieuwe aarde eronder blootlegden. De zwarte hemel brak open, en de zon kroop eruit; lichttrillingen werden uitgezonden in de richting van de eeuwigheid en vormden kransen in het water van de baai.

De storm was geluwd. Overal om me heen lagen strengen zeewier, stukken drijfhout, kwallen, krabben, troep die de zee had uitgekotst.

Het was vloed.

Ik ging staan.

Boven me, in de onverwachte blauwte, zwierden en zwaaiden meeuwen rond, en het geluid dat ze maakten was dat van zingende zagen, hun veren waren bontgekleurd. De zee was gemaakt van hemel, de hemel van zee.

Iemand zei mijn naam. Ik draaide me om en zag haar over het strand naar me toe lopen, en ik staarde, verbaasde me over haar gezicht, haar lichaam weer helemaal gezond, haar jurk bolde op in de wind, een enkele vlecht zwiepte over haar schouders.

Ze maakte de veters van haar hoge schoenen los, stapte eruit en liep de zee in die de hemel was, en de blauwte kabbelde rond haar voeten.

Ze waadde verder tot de blauwte tot haar middel kwam, en haar jurk dreef uiteen tot de vorm van een waterbloem en steeg op naar haar schouders, haar nek, en ze ging onder, haar haar uitgespreid als een waaier, en ze was verdwenen.